Vocabulaire anglais courant

DANS LA SÉRIE *MÉMO*

Conjugaison française, Librio n° 470
Conjugaison anglaise, Librio n° 558
Le calcul, Librio n° 595
Orthographe française, Librio n° 596
Grammaire anglaise, Librio n° 601
Solfège, Librio n° 602
Difficultés du français, Librio n° 642
Conjugaison espagnole, Librio n° 644
Dictées pour progresser, Librio n° 653
Dictionnaire de rimes, Librio n° 671
Le français est un jeu, Librio n° 672
Mots croisés-1 , Librio n° 699
Mots croisés-2 , Librio n° 701
Jeux de cartes, jeux de dés, Librio n° 705
Mots croisés-3 , Librio n° 706
Mots croisés-4 , Librio n° 707
Figures de style, Librio n° 710
Mouvements littéraires, Librio n° 711
Grammaire espagnole, Librio n° 712
Latin pour débutants, Librio n° 713

Jean-Bernard Piat

Vocabulaire anglais courant

Inédit

Avant-propos

Cet ouvrage recense de manière thématique le vocabulaire le plus usuel de la langue anglo-américaine d'aujourd'hui. Il offre le corpus lexical de base que se doivent d'acquérir ceux qui désirent pratiquer l'anglais sans être entravés par trop de lacunes. Il s'adresse autant aux collégiens, lycéens et étudiants qu'à tout apprenant hors contexte scolaire.

Cette visée généraliste a conduit à inclure ici et là des mots moins attendus, mais pourtant essentiels dans la vie contemporaine. Un juste équilibre a été recherché entre le vocabulaire « classique » et un lexique spécialisé plus actuel.

Chaque chapitre classe les mots – avec variantes américaines – par listes thématiques.

Beaucoup de ces listes s'accompagnent d'encadrés regroupant le plus possible d'expressions et de phrases complètes. Le vocabulaire se trouve de ce fait mis en situation, ce qui constitue le plus court chemin pour parvenir aux automatismes de la conversation courante. Certains exemples relèvent de la langue familière ou argotique.

Quelques transcriptions phonétiques ont été incluses pour les mots dont la prononciation pose des difficultés.

Abréviations et symboles

adj. : adjectif fam. : familier f.a. : faux ami indén. : indénombrable n. : nom plur. : pluriel sing. : singulier	* : verbe irrégulier ⨯ : contraire de ☺ : expression familière ⚠ : expression argotique ou vulgaire, à n'utiliser qu'avec précaution

Tableau des signes phonétiques conforme à l'Association phonétique internationale

Voyelles	Consonnes
[ɪ] ship, hit	[b] big, bat
[ɪ:] sheep, meat	[d] door, dig
[ɒ] dog, watch	[f] fine, fly
[ɒ:] wall, fork	[g] ghost, gown
[e] desk, head	[ʒ] vision
[æ] hat, shall	[dʒ] jet, job
[a:] far, bath	[h] hat, hill
[ʊ] foot, cook	[k] cut, kick
[ʊ:] food, shoe	[l] little, lake
[ə] again, mother	[m] man, mouse
[ɜ:] girl, burn	[n] not, gun
[ʌ] cup, tough	[ŋ] singing, song
	[p] pig, power
	[r] rain, rabbit
Diphtongues	[s] so, sick
	[z] zoo, is
[eʊ] home, boat	[ʃ] shop, shower
[aʊ] now, house	[tʃ] cheap, child
[eɪ] date, weight	[t] tie, talk
[aɪ] my, night	[θ] thought, thing
[ɪə] near, here	[ð] the, this
[ɛə] chair, there	[v] vow, vacant
[ʊə] poor, sure	[w] water, when
[ɒɪ] boy, noise	[j] yes, million

N.B. L'accent tonique [ˈ] et l'accent secondaire [ˌ] précèdent la syllabe accentuée.

The human body and the five senses
Le corps humain et les cinq sens

The figure **(f.a.) : la silhouette**

a giant : un géant
a dwarf : un nain
the skeleton : le squelette
a bone : un os
a joint : une articulation
a nerve : un nerf
a muscle : un muscle
the flesh : la chair
the skin : la peau
wrinkles : des rides
the complexion : le teint

Looks **: le physique**

a big man : un homme grand et fort
sturdy : costaud
stout : corpulent
well-built : bien bâti
thickset : trapu, râblé
muscular : musclé
small = short : petit
wide = broad >< narrow :
large >< étroit
fat : gros
obese : obèse
thin : maigre, mince
gaunt : émacié
lanky : dégingandé
slim = slender : svelte
tall : grand
plump : dodu
beautiful = good-looking
= handsome : beau
pretty : joli
attractive : séduisant
ugly = plain : laid
hunchbacked : bossu
left-handed : gaucher

to put on weight* : grossir
to lose weight* : perdre du poids
Looks aren't everything. – Le physique, ce n'est pas tout.
She's kept her figure. – Elle a gardé la ligne.
She's all skin and bone. – Elle n'a que la peau sur les os.
That film made my flesh creep. – Ce film m'a donné la chair de poule.
☺ *Wow, is she ever stacked!* – Bigre, elle est bien roulée !

The face : le visage

the head : la tête
the skull : le crâne
the features : les traits
the forehead ['fɒrɪd] : le front
the chin : le menton
the jaws : les mâchoires
the nose : le nez
the nostrils : les narines
the cheeks : les joues
the cheekbones : les pommettes
the ears : les oreilles
the eyes : les yeux
the eyelids : les paupières
the eyebrows : les sourcils
the eyelashes : les cils
the iris : l'iris
the pupil : la pupille
the retina : la rétine
the mouth : la bouche
the lips : les lèvres
the palate : le palais
the tongue : la langue
a tooth (plur. *teeth)* : une dent
the hair (indén.) : les cheveux
a lock : une mèche
a curl : une boucle
a beard : une barbe
a moustache : une moustache
bald : chauve

My head is spinning. – J'ai la tête qui tourne.
Close your eyes. – Ferme les yeux.
Blow your nose. – Mouche-toi.
Your hair is too long. – Tu as les cheveux trop longs.
She's fair-haired. – Elle a les cheveux blonds.

The trunk : le tronc

the back : le dos
the small of the back : le creux des reins
the chest : la poitrine
the backbone : la colonne vertébrale
a vertebra : une vertèbre
the breasts : les seins
a rib : une côte
the waist : la taille
the belly : le ventre
the navel [ei] : le nombril
the pelvis : le bassin

The neck : le cou

the nape of the neck : la nuque
the throat : la gorge

The limbs [limz] : les membres

the shoulder : l'épaule
a shoulder blade : une omoplate
the arm : le bras
the armpits : les aisselles
the forearm : l'avant-bras
the elbow : le coude
the wrist : le poignet
the hand : la main
the fist : le poing
the fingers : les doigts
the thumb [θʌm] : le pouce
the nails : les ongles
the knuckles : les jointures
the hip : la hanche

the thigh [θaɪ] : la cuisse
the bottom = the backside : le derrière, le postérieur
the buttocks : les fesses
the leg : la jambe
the knee [nɪ:] : le genou
the ankle : la cheville
the calf [ka:f] : le mollet
the foot (plur. *feet*) : le pied
the sole : la plante (du pied)
the heel : le talon
a toe : un orteil

She's broken her hip. – Elle s'est cassé le col du fémur.
I've twisted my ankle. – Je me suis tordu la cheville.

The genitals : les organes génitaux

the penis [ɪ:] : le pénis
the testicles : les testicules
the vagina [dʒaɪ] : le vagin

An organ : un organe

the brain : le cerveau
the heart [ha:t] : le cœur
the lungs : les poumons
the oesophagus : l'œsophage
the windpipe : la trachée-artère
the liver [ɪ] : le foie
the stomach : l'estomac
the gall bladder : la vésicule biliaire
the spleen : la rate
the bowels [aʊ] : les intestins
a kidney : un rein
the bladder : la vessie
the womb [wʊ:m] : l'utérus
the blood [blʌd] : le sang
*to bleed** : saigner
an artery : une artère
a vein : une veine
a blood vessel : un vaisseau sanguin

My heart is pounding. – Mon cœur bat très fort.
☺ *He almost burst a blood vessel.* – Il a failli avoir une attaque.

The five senses : les cinq sens

eyesight = sight : la vue
a beautiful sight : une belle vue
*to see** : voir
blind : aveugle
hearing : l'audition
*to hear** : entendre
to listen to somebody/something : écouter quelqu'un/quelque chose
a loud (dull, muffled) noise : un bruit fort (sourd, étouffé)
touch : le toucher
to touch : toucher
to stroke : caresser
to handle : manier
to tickle : chatouiller
*to beat** : battre
*to hit** : frapper
to kick (somebody) : donner des coups de pied (à quelqu'un)
smell : l'odorat
*to smell** : sentir
*to stink** : puer
to sniff : renifler
taste : le goût
to taste : goûter

to hear a sound* : entendre un son
to smell a scent* : sentir un parfum
to taste a flavour : goûter une saveur
to feel one's way (towards...)* : avancer à tâtons (vers...)
I can't stand the sight of her. – Je ne peux pas la voir en peinture.
It smells of gas. – Ça sent le gaz.
It tastes like whisky. – Cela a un goût de whisky.
☺ *They were petting on the couch.* [*to pet* : (se) peloter] – Ils se pelotaient sur le canapé.

To look at somebody/something : regarder quelqu'un/quelque chose

to watch : observer, regarder attentivement ; surveiller
to keep an eye on...* : surveiller
to notice : remarquer
to stare (at...) : regarder fixement
to gaze (at...) : regarder avec admiration
to glare (at...) : regarder furieusement
to gape (at...) : regarder bouche bée
to peer (at...) : scruter
to peep (at...) : regarder à la dérobée
to frown (at...) : regarder en fronçant les sourcils
to glance (at...) : jeter un coup d'œil (à...)
to wink (at...) : faire un clin d'œil (à...)
to blink : cligner des yeux

to scan the horizon : scruter l'horizon
Don't stare at people like that! – Ne dévisage pas les gens comme ça !
Can you keep an eye on the children? – Peux-tu surveiller les enfants ?

A colour : une couleur

white : blanc
black : noir
grey : gris
red : rouge
pink : rose
blue : bleu
green : vert
yellow : jaune
orange : orange
brown : brun, marron
purple : violet, mauve
dark green : vert foncé
light blue : bleu clair
yellowish : jaunâtre

*To speak** : parler

a loud (shrill, hoarse) voice : une voix forte (stridente, rauque)
to say something to somebody* : dire quelque chose à quelqu'un
to call : appeler
to tell somebody about something* : parler à quelqu'un de quelque chose
to shout : crier
to scream = to shriek : hurler

to cry : pleurer
to cry out : s'écrier
to sob : sangloter
to cheer : acclamer
to whisper : chuchoter
to murmur : murmurer
to mutter : marmonner, marmotter
to stammer : bredouiller
to moan : gémir
to groan : grogner
to sigh = to give a sigh : soupirer, pousser un soupir
to whistle : siffler
*to spit** : cracher
to laugh [la:f] : rire
laughter : le rire
to giggle : rire bêtement
to chuckle : glousser
to smile : sourire
to grin : faire un grand sourire

to make a noise* : faire du bruit
to burst out laughing* : éclater de rire
to shed tears* : verser des larmes
Speak up! I can't hear you. – Parlez plus fort ! Je ne vous entends pas.
Be silent! = Be quiet ! : Silence ! Taisez-vous !
Hush! – Chut !
⚠ *Shut up!* – Ferme-la !

To move : bouger, remuer, faire un mouvement

a movement = a motion : un mouvement
motionless : immobile
to walk (on tiptoe) : marcher (sur la pointe des pieds)
on all fours : à quatre pattes
to crouch = to squat down : s'accroupir
to creep = to crawl* : ramper
to shuffle : traîner les pieds
*to stride** : marcher à grands pas
the gait : la démarche
at a quick pace : à vive allure
to stumble : trébucher
to stagger : tituber, chanceler
*to fall** : tomber
to slip : glisser (par inadvertance)
*to run** : courir
to rush = to dash : se précipiter
to jump : sauter
*to leap** : bondir
to lean (against, on...)* : s'appuyer (contre, sur...)
to stand = to be* standing* : être debout
to sit = to be* sitting* : être assis
to lie = to be* lying* : être étendu
*to kneel** : s'agenouiller
to bend down* : se baisser
to bow [au] : saluer, s'incliner

*To hold** : tenir

to carry : porter
to push >< to pull : pousser >< tirer
to drag : tirer avec effort, traîner
*to catch** : attraper
*to throw** : jeter

Health, diseases, medicine
Santé, maladies, médecine

Healthy >< ill = sick (USA) : en bonne santé >< malade

to recover : se rétablir
a recovery : un rétablissement
to cure (something or somebody) : guérir (quelque chose ou quelqu'un)
a cure for... : un remède contre...
to treat : traiter
a treatment : un traitement

to be* in good (poor) health : être en bonne (mauvaise) santé
to be* in good shape : être en bonne forme
to feel* fit : se sentir en forme
to be* tired : être fatigué
to be* exhausted = to be* worn out : être épuisé
to be* taken ill = to fall* ill = to fall* sick : tomber malade
to have* a relapse : faire une rechute
He has an iron constitution. – Il a une santé de fer.
He will pull through. – Il s'en sortira.

a disabled person : un handicapé
crippled : estropié
paralysed : paralysé
an invalid : un infirme
to limp : boiter
lame : boiteux

He has to walk on crutches. – Il doit marcher avec des béquilles.

The physical condition : l'état physique

fever : la fièvre
to shiver [ɪ] : frissonner
to sneeze : éternuer
to vomit : vomir
to come* round : revenir à soi
to faint = to lose consciousness : s'évanouir

to have a sore throat* : avoir mal à la gorge
to have a headache* [hedeik] : avoir mal à la tête
to have toothache* : avoir mal aux dents
to have stomachache* : avoir mal à l'estomac
to be suffering from backache* : souffrir du dos
to have a stiff neck* : avoir un torticolis
to catch a cold* : attraper un rhume
to feel giddy = to feel* dizzy* : avoir des vertiges
to feel sick* : avoir mal au cœur
What's the matter with you? – Qu'avez-vous ?
I'm feeling out of sorts. = I'm not feeling too good. – Je me sens mal fichu.
I'm coughing a lot. – Je tousse beaucoup.
I'm running a temperature. – J'ai de la fièvre.

to be suffering = to be* in pain* : souffrir
to be injured* : être blessé
a wound : une plaie
to heal : se cicatriser
a burn : une brûlure
a bite : une morsure
a boil : un furoncle
a blister : une ampoule
a scratch : une égratignure
a bruise [bru:z] : un bleu
a cut : une coupure
a scar : une cicatrice

Where does it hurt? – Où avez-vous mal ?
I've got sunburn. – J'ai un coup de soleil.
It'll pass. – Ça passera.

A disease = an illness : une maladie

an infectious disease = a catching disease : une maladie contagieuse
a hereditary disease : une maladie héréditaire
an allergy : une allergie
allergic to... : allergique à...
flu : la grippe
a throat infection : une angine
hay fever : le rhume des foins
asthma : de l'asthme
indigestion : une indigestion
scarlet fever : la scarlatine
measles : la rougeole
German measles : la rubéole
mumps : les oreillons
chicken pox : la varicelle
whooping cough : la coqueluche
tuberculosis = TB : la tuberculose
jaundice : la jaunisse
hepatitis : une hépatite
appendicitis : une crise d'appendicite
a heart attack : une crise cardiaque
a stroke : une attaque
a coronary : un infarctus
lung cancer : un cancer du poumon
AIDS : le sida
HIV positive : séropositif
pneumonia [njʊ:'məʊnjə] : une pneumonie
multiple sclerosis : la sclérose en plaques
an epileptic fit : une crise d'épilepsie
the plague : la peste

to catch (= to develop) a disease* : attraper, contracter, une maladie
to be in a coma* : être dans le coma
to have measles* : avoir la rougeole
to have hepatitis* : avoir une hépatite
(N.B. Pas d'article défini pour la maladie dans l'expression anglaise.)

blind : aveugle
blindness : la cécité
blind in one eye : borgne
colour-blind : daltonien
short-sighted : myope
long-sighted : presbyte
astigmatic : astigmate

to have poor eyesight* : avoir une mauvaise vue
to squint = to have a squint* : loucher
to wear glasses (contact lenses)* : porter des lunettes (des lentilles de contact)

deaf : sourd
deafness : la surdité

to be deaf-and-dumb* : être sourd-muet
to have an ear infection* : avoir une otite
to wear a hearing aid* : porter un appareil (auditif)

mental disorders : les troubles mentaux
mad = insane = crazy : fou
madness : la folie
a lunatic (f.a.) = *a madman = a maniac* : un fou

to be mentally deficient* : être atteint de troubles mentaux
to have Down('s) syndrome* : être trisomique
☺ *He's nuts. = He's not all there.* – Il est dingue. = Il a une case en moins.

Medicine : la médecine

alternative (= complementary) medicine : les médecines douces
homeopathy : l'homéopathie
acupuncture : l'acupuncture
herbal medicine : la phytothérapie

a doctor = a physician : un médecin
a GP (General Practitioner) : un généraliste
a heart specialist : un cardiologue
an eye specialist : un ophtalmologiste
a psychiatrist [saɪ] : un psychiatre
an analyst = a shrink (fam.) : un psychanalyste, un psy
a physiotherapist (GB) = *a physical therapist* (USA) : un kinésithérapeute
a nurse : une infirmière

to make an appointment to see a doctor* : prendre rendez-vous chez un médecin
to go to the doctor's* : aller chez le médecin
to make a diagnosis* : faire un diagnostic
to feel somebody's pulse* : prendre le pouls de quelqu'un
to take somebody's blood pressure* : prendre la tension de quelqu'un
to auscultate a patient's chest : ausculter un patient
You should have a checkup. – Vous devriez faire un bilan de santé.
You must have a blood test. – Vous devez vous faire faire une prise de sang.
You must have an X-ray (a scanner). – Vous devez passer une radio (un scanner).

A medicine = a drug = a medication : un médicament

a pill : une pilule
a tablet : un comprimé
a capsule : une gélule
a phial : une ampoule
an ointment : une pommade
a suppository : un suppositoire
an antiseptic : un antiseptique
an antibiotic : un antibiotique
a painkiller : un antalgique
a tranquillizer : un tranquillisant
an antidepressant : un antidépresseur
a sleeping pill : un somnifère
cotton wool : du coton
surgical spirit : de l'alcool à 90°
a syringe : une seringue
a polio vaccine [ɪ] : un vaccin contre la polio

to go to the chemist's* : aller chez le pharmacien
to take cough syrup* : prendre un sirop contre la toux
to instill eye drops : mettre un collyre
to be on antibiotics* : être sous antibiotiques
to be on the pill* : prendre la pilule
to give somebody an injection* : faire une piqûre à quelqu'un
to dress a wound : panser une plaie
to apply a sticking plaster : mettre un pansement
Has the child been immunized against polio? – L'enfant a-t-il été vacciné contre la polio ?

A dentist : un dentiste

the drill : la roulette
a filling : un plombage
a brace : un appareil
dentures : un dentier
toothpaste : du dentifrice
a toothbrush : une brosse à dents

to go to the dentist's* : aller chez le dentiste
to have a cavity* : avoir une carie
to have a tooth filled* : se faire plomber une dent
to have a tooth out* : se faire enlever une dent
to brush one's teeth : se brosser les dents

A hospital : un hôpital

a private hospital : une clinique
a nursing home : une maison de retraite
a convalescent home : une maison de repos
an ambulance : une ambulance
the casualty department : le service des urgences

Surgery : la chirurgie

plastic surgery : la chirurgie esthétique
a surgeon : un chirurgien
a blood group : un groupe sanguin
a blood transfusion : une transfusion

to be taken to hospital* : être hospitalisé
to undergo surgery = to have* an operation* : se faire opérer
to have one's appendix out* : se faire opérer de l'appendicite
to have a heart operation* : avoir une opération du cœur
to operate on a patient : opérer un patient
to be under an anaesthetic* : être sous anesthésie
He's having a course of chemotherapy [kɪː]. – Il a des séances de chimiothérapie.

A delivery : un accouchement

to give birth = to have* a baby* : accoucher
to have a C-section* : avoir une césarienne
to have an epidural* : avoir une péridurale
to have a miscarriage* : faire une fausse couche

Clothing
L'habillement

Clothes **: des vêtements**

a garment = an item of clothing : un vêtement
to get dressed >< to get* undressed* : s'habiller >< se déshabiller
to change : se changer

A fabric = a material **: un tissu**

wool : la laine
silk : la soie
cotton : le coton
velvet : le velours
fur : la fourrure
nylon [aɪ] : le nylon
leather [e] : le cuir
lace : la dentelle
suede [sweɪd] : le daim
striped : rayé
checked : à carreaux
tartan : écossais

to put on clothes >< to take* off clothes* : mettre des vêtements >< enlever des vêtements
to wear clothes* : porter des vêtements
to be all dressed up* : être sur son trente et un
to be naked* ['neɪkɪd] : être nu
to be in rags* : être en haillons
She was dressed in black. – Elle était habillée en noir.
He was wearing casual clothes. – Il portait une tenue décontractée.
☺ *She was in the altogether.* – Elle était dans le plus simple appareil.

A (three-piece) suit **[sju:t] : un costume (trois pièces)**

a jacket : une veste
a waistcoat (GB) = *a vest* (USA) : un gilet
(a pair of) trousers = *pants* (USA) : un pantalon
(a pair of) jeans : un jean
slacks : un pantalon de sport
a dinner jacket (GB) = *a tuxedo* (USA) : un smoking
a tailcoat : un habit, une queue-de-pie
an overcoat : un pardessus
a sheepskin jacket : une canadienne
a raincoat = *a mac* : un imperméable
an anorak : un anorak
a parka : une parka
a sweater [e] : un chandail

a pullover : un pull-over
a polo-neck sweater (GB) = *a turtleneck sweater* (USA) : un pull-over à col roulé
a shirt : une chemise
a tie : une cravate
a bow-tie [əʊ] : un nœud papillon

Shoes **: des chaussures**

platform shoes : des chaussures à semelles compensées
loafers : des mocassins
boots : des bottes
slippers : des pantoufles
the sole : la semelle
the heel : le talon
high-heeled shoes : des escarpins
stiletto heels : des talons aiguilles
sandals : des sandales
mules : des mules

A hat **: un chapeau**

a bowler hat : un chapeau melon
a top hat : un chapeau haut-de-forme
a cap : une casquette
a hood : un capuchon
a scarf : une écharpe
a muffler : un cache-nez
gloves [ʌ] : des gants

A belt **: une ceinture**

braces (GB) = *suspenders* (USA) : des bretelles

A dress **: une robe**

a (mini)skirt : une (mini)jupe
culottes : une jupe-culotte
a (fur) coat : un manteau (de fourrure)
a suit : un tailleur
a jersey = *a jumper* : un tricot, un pull-over
a cardigan : un cardigan, un gilet
a blouse : un chemisier, un corsage
a tank top : un pull-over sans manches, un débardeur
a shawl : un châle
a cloak : une cape

Underwear **: les sous-vêtements**

socks : des chaussettes
a vest (GB) = *an undershirt* (USA) : un maillot de corps
briefs = *pants* (GB) : un slip
shorts : un caleçon
panties = *knickers* (GB) : un slip (de femme)
a bra : un soutien-gorge
a slip (f.a.) : une combinaison
(a pair of) tights = *(a pair of) panty hose* (USA) : un collant
stockings : des bas
a suspender-belt (GB) = *a garter-belt* (USA) : un porte-jarretelles
a body stocking : un body
a girdle : une gaine
a nightdress : une chemise de nuit
pyjamas : un pyjama

An accessory : un accessoire

an umbrella : un parapluie
a walking stick : une canne
a waist bag : une banane
a purse : un porte-monnaie
a wallet : un portefeuille
a handkerchief : un mouchoir
a tissue : un Kleenex
a ring : une bague
a necklace : un collier
a bracelet : un bracelet
earrings : des boucles d'oreille
a brooch [əʊ] : une broche

Sportswear : vêtements de sport

a tracksuit : un survêtement
shorts : un short
trainers (GB) = *sneakers* (USA) : des baskets
a (two-piece) swimsuit : un maillot (deux-pièces) (de femme)
swimming trunks (GB) = *swimming shorts* (USA) : un maillot (d'homme)
a wetsuit : une combinaison de plongée

To mend : raccommoder

to darn : repriser
pins and needles : des épingles et des aiguilles
*to sew** : coudre
*to knit** : tricoter
a lapel [lə'pel] : un revers
a lapel badge : une épinglette
a button : un bouton
a buttonhole : une boutonnière
a pocket : une poche
the sleeves : les manches
the collar : le col
the cuffs : les manchettes
cufflinks : des boutons de manchette
the lining : la doublure
the hem : l'ourlet
a seam : une couture
the crease [s] : le pli
loose : ample
close-fitting : ajusté
to match : être assorti à
hard-wearing : résistant
*to shrink** : rétrécir
to fit : aller à

to try on clothes : essayer des vêtements
to sew on a button* : coudre un bouton
What size do you take? – Quelle taille faites-vous ?
This is too tight (>< large). – C'est trop serré (>< grand)
Could you take the hem up? – Pourriez-vous faire l'ourlet ?

Food and meals
L'alimentation et les repas

***Foodstuffs* : les denrées alimentaires**

organic food : les produits biologiques
health food : les produits diététiques
frozen food : les produits surgelés
vacuum-packed : emballé sous vide

***Meat* : la viande**

beef : le bœuf
a rib of beef : une côte de bœuf
roast beef : du rôti de bœuf
sirloin : l'aloyau
pork : le porc
a joint of pork : un rôti de porc
mutton : le mouton
a mutton chop : une côtelette de mouton
a mutton stew : un ragoût de mouton
lamb [læm] : l'agneau
a leg of lamb : un gigot
poultry : la volaille
a fowl [aʊ] : une volaille
a guinea fowl ['gɪnɪ] : une pintade
a duck : un canard
a goose [s] : une oie
a chicken : un poulet
a turkey : une dinde
a pigeon : un pigeon
game : le gibier
a pheasant [e] : un faisan
a rabbit : un lapin
a sausage : une saucisse
(Parma) ham : du jambon (de Parme)
offal (indén.) : les abats

***A soft-boiled egg* : un œuf à la coque**

a hard-boiled egg : un œuf dur
a fried egg : un œuf sur le plat
a poached egg : un œuf poché
scrambled eggs : des œufs brouillés
an omelette : une omelette

***A fish* : un poisson**

a sole : une sole
a salmon ['sæmən] : un saumon
tuna : du thon
a cod : une morue
smoked haddock : du haddock
a trout : une truite
a carp : une carpe
an eel : une anguille
a sardine : une sardine
an anchovy : un anchois
caviar : du caviar

seafood : les fruits de mer
shellfish : les crustacés
a shrimp : une crevette
a prawn : un bouquet
a crab : un crabe
a lobster : un homard
an oyster : une huître
mussels : des moules
a scallop : une coquille Saint-Jacques

Vegetables : les légumes

a potato (plur. *-oes*) : une pomme de terre
mashed potatoes : de la purée
chips (GB) : les frites
crisps (GB) : les chips
a tomato (plur. *-oes*) : une tomate
peas : les petits pois
a carrot : une carotte
French beans : les haricots verts
haricot beans : les haricots blancs
a cauliflower : un chou-fleur
a cabbage : un chou
sprouts : les choux de Bruxelles
a turnip : un navet
a leek : un poireau
a radish : un radis
celery : du céleri
a green pepper : un poivron vert
a cucumber : un concombre
an onion [ʌ] : un oignon
a pumpkin : une citrouille
a salad : une salade
lettuce ['letɪs] : la laitue
soup : la soupe

Pasta : les pâtes

rice : le riz

Condiments : condiments

salt : le sel
pepper : le poivre
oil : l'huile
vinegar : le vinaigre
mustard : la moutarde
sauce : de la sauce
parsley : le persil
garlic : l'ail

Milk products : produits laitiers

milk : le lait
cheese : le fromage
goat cheese : le fromage de chèvre
butter : le beurre
cream : la crème
a yoghurt : un yaourt

Fruit (indén.) : les fruits

an apple : une pomme
a pear [ɛə] : une poire
a peach : une pêche
an orange : une orange
a tangerine : une mandarine
an apricot : un abricot
a plum : une prune
a prune (f.a.) : un pruneau
grapes : le raisin
strawberries (sing.*-berry*) : les fraises
raspberries : les framboises
bilberries : les myrtilles
a lemon : un citron
a melon : un melon

a pineapple : un ananas
a banana : une banane
a date : une datte
a walnut : une noix
a hazelnut : une noisette
an almond : une amande
a peanut : une cacahuète
a chestnut : un marron, une châtaigne
a coconut : une noix de coco
ripe : mûr

Sweets : sucreries

sugar : le sucre
caster sugar : le sucre en poudre
a lump of sugar : un morceau de sucre
a sweetener : un édulcorant
jam : la confiture
marmalade : la marmelade d'oranges
honey : le miel
custard : la crème anglaise

Bread : le pain

a loaf : une miche
a roll : un petit pain
a crumb : une miette
a bun : une brioche
toast (indén.) : les toasts
a piece of toast : un toast
dough : la pâte (à pain)
flour : de la farine

A dessert = a pudding : un dessert

a pastry : une pâtisserie
a cake : un gâteau
a plum-cake : un cake
a tart : une tarte
an ice-cream : une glace
a biscuit ['bɪskɪt] : un biscuit

A drink : une boisson

*to drink** : boire
a beverage : un breuvage
alcohol : l'alcool
spirits = liquor (f.a.) : les spiritueux, les alcools
a liqueur [lɪ'kjʊə] : une liqueur, un digestif
a cocktail : un cocktail
wine : le vin
claret : le bordeaux rouge
burgundy : le bourgogne
champagne [eɪn] : le champagne
a pint of beer : une pinte de bière
draught beer : la bière à la pression
ale : la bière
stout : la bière brune
lager : la bière blonde
cider : le cidre
whisk(e)y : le whisky
brandy : le cognac
sherry : le xérès
port : le porto
rum : le rhum
a bottle : une bouteille
a cork : un bouchon
a corkscrew : un tire-bouchon
a bottle opener : un décapsuleur

Soft drinks : les boissons non alcoolisées

(mineral, soda) water : l'eau (minérale, gazeuse)
fizzy : gazeux
coffee : le café
decaff (fam.) : le décaféiné, le déca
chocolate : le chocolat
tea : le thé
herbal tea : la tisane
a Coke (fam.) : un Coca
fruit juice : le jus de fruits

A plate : une assiette

a knife (plur. *knives*) : un couteau
a fork : une fourchette
a spoon : une cuillère
a glass : un verre
a cup : une tasse
a saucer : une soucoupe
a saucepan : une casserole
a frying pan : une poêle

to have breakfast /... lunch /... dinner /... supper* : prendre le petit déjeuner / déjeuner / dîner / souper
to be hungry (thirsty)* : avoir faim (soif)
to have a good (= healthy) appetite* : avoir un gros (= solide) appétit
to be on a diet* : être au régime
to smoke a cigarette : fumer une cigarette
Dinner is ready! / Lunch is ready! – À table !
Help yourself! – Servez-vous !
Have a nice meal! – Bon appétit !
I'm starving. – Je meurs de faim.
He can't hold his liquor. – Il ne tient pas l'alcool.
Your health ! = Cheers ! – À votre santé ! À la vôtre !
☺ *He's totally out. = He's smashed.* – Il est complètement bourré.

The house
La maison

The front : la façade

a door : une porte
the front door : la porte d'entrée
the back door : la porte de derrière
a lock : une serrure
a bolt : un verrou
a letter box : une boîte aux lettres
the doormat : le paillasson
a window : une fenêtre
a shutter : un volet
a French window : une porte-fenêtre
a sash window : une fenêtre à guillotine
a wall : un mur
a balcony : un balcon
a terrace : une terrasse
the porch : le porche ; (USA) la véranda
a garage : un garage
a workshop : un atelier
the foundations : les fondations
outdoors >< *indoors* : à l'extérieur >< à l'intérieur

The roof : le toit

a gutter : une gouttière (horizontale)
a drain pipe : une gouttière (verticale)
the chimney : la cheminée (extérieure)
a TV aerial : une antenne de télévision
a satellite dish : une antenne parabolique
a lightning conductor : un paratonnerre
a storey : un étage (considéré de l'extérieur)
a three-storeyed house : une maison de trois étages

to have a house built* : faire construire une maison
to do up an old house.* : retaper une vieille maison
The house faces south. – La maison est exposée au sud.

The basement : le sous-sol

the cellar : la cave
a boiler : une chaudière

Inside the house : à l'intérieur de la maison

downstairs >< *upstairs* : en bas >< en haut
a (spiral) staircase : un escalier (en colimaçon)
the stairs : l'escalier
a step : une marche
a floor : un étage (considéré de l'intérieur)
the ground floor : le rez-de-chaussée
the first floor : le premier étage
a lift : un ascenseur

They live on the third floor. - Ils habitent au troisième étage.

a passage = a corridor : un couloir
the hall : le vestibule
a burglar alarm : une alarme
the doorstep = the threshold : le seuil
a partition (f.a.) : une cloison
the ceiling [ɪ:] : le plafond

the living room : la salle de séjour
the lounge : le salon
the dining room : la salle à manger
a study = a den (fam.) : un bureau (pièce)
the fireplace : la cheminée
the mantelpiece : le manteau de la cheminée
a log : une bûche
a poker : un tisonnier

a bedroom : une chambre à coucher
a spare room = a guest room : une chambre d'amis
a nursery : une chambre d'enfants

the lavatory = the toilet : les toilettes, les W.C.
a junk room : un débarras

the loft : le grenier
an attic room : une mansarde
a beam : une poutre

Furniture (indén.) : le mobilier

a piece of furniture : un meuble
a table : une table
a coffee table : une table basse
a chair : une chaise
an armchair : un fauteuil
a seat : un siège
a sideboard : un buffet
a bookcase : une bibliothèque
a shelf : une étagère
a cupboard ['kʌbəd] = *a closet* (USA) : une armoire, un placard
a wardrobe : une penderie
a hanger : un cintre
a chest of drawers : une commode
a clock : une horloge
a lamp : une lampe
a chandelier (f.a.) : un lustre
a shade : un abat-jour

a bed : un lit
a sofa = a settee = a couch : un canapé
a sofa bed : un canapé-lit
twin beds : des lits jumeaux
a cot : un lit d'enfant
a mattress : un matelas
a bolster : un traversin
a pillow : un oreiller
a cushion : un coussin
a sheet : un drap
a duvet ['dʊ:veɪ] : une couette
a blanket : une couverture
a bedcover : un couvre-lit
a quilt : un édredon

a carpet : un tapis ; une moquette
a rug : une carpette
a vacuum cleaner : un aspirateur
wallpaper : du papier peint

to have carpet laid* : faire poser de la moquette

The kitchen **: la cuisine**

a cooker : une cuisinière
ceramic hotplates : des plaques chauffantes vitrocéramiques
an electric kettle : une bouilloire électrique
a pressure-cooker : une cocotte-minute
a hood : une hotte
an oven [ʌ] : un four
a micro-wave : un micro-ondes
a dishwasher : un lave-vaisselle
a food processor : un robot ménager
a refrigerator = a fridge : un réfrigérateur
a freezer : un congélateur
a counter top : un plan de travail
a sink : un évier
a toaster : un grille-pain
a trolley : une table roulante
a stool : un tabouret

The bathroom **: la salle de bains**

a bath : une baignoire
a shower [aʊ] : une douche
a washbasin [eɪ] : un lavabo
a towel [aʊ] : une serviette
a water heater : un chauffe-eau
a washing machine : un lave-linge
an iron : un fer à repasser

Central heating **: le chauffage central**

a radiator : un radiateur
an electric heater : un radiateur électrique
a stove [əʊ] : un poêle

An electrical appliance **: un appareil électrique**

a switch : un commutateur
to switch on = to turn on >< to switch off = to turn off : allumer >< éteindre
a bulb : une ampoule
a plug : une prise
to plug in : brancher

Cities
Les villes

A city : une grande ville

a town : une ville
town planning : l'urbanisme
a built-up area : une agglomération
the suburbs : la banlieue
to commute : faire la navette (banlieue/centre-ville)
a commuter : un banlieusard
a town dweller, a city dweller : un citadin
a vacant lot : un terrain vague
a refuse dump : une décharge publique
a slum : un taudis
a shanty town : un bidonville
an industrial estate (GB) = *an industrial park* (USA) : une zone industrielle
a housing estate (GB) = *a housing development* (USA) : une cité, un lotissement
a district (GB) = *a neighbourhood* (USA) : un quartier
the city centre : le centre-ville
the outskirts : les faubourgs, la périphérie
the town hall : la mairie
downtown >< *uptown* (USA) : dans le centre >< en banlieue, dans les quartiers résidentiels
the inner city areas : les quartiers déshérités
green spaces : des espaces verts

They live in the suburbs. – Ils habitent la banlieue.
They live in very pleasant surroundings. – Ils vivent dans un cadre très agréable.
I commute between Pontoise and Paris every day. – Je fais la navette entre Pontoise et Paris tous les jours.

Housing : le logement

a building : un bâtiment
a block of flats (GB) = *an apartment building* (USA) : un immeuble d'habitation
a (detached) house : une maison, un pavillon
a semidetached (house) : une maison jumelle
a mansion : un hôtel particulier
a tower block (GB) : une tour d'habitation
a council house (GB) : un immeuble H.L.M.

a flat (GB) = *an apartment* (USA) : un appartement
a studio flat = *a studio apartment* : un studio
a studio (f.a.) : un atelier d'artiste
the caretaker (GB) = *the manager* (USA) : le concierge, le gardien
a neighbour : un voisin
an inhabitant : un habitant
a boarding house : une pension de famille
a boarder : un pensionnaire

The owner : le propriétaire

a tenant : un locataire
the property market : le marché de l'immobilier
a property developer : un promoteur immobilier
an estate agent : un agent immobilier
to move (out) >< *to move in* : déménager >< emménager
a removal : un déménagement
a lease [s] : un bail

to find accommodation* : trouver à se loger
to rent a house from somebody : louer une maison à quelqu'un
to pay the rent* : payer le loyer
to let a house to somebody* : louer (donner en location) une maison à quelqu'un
to be on the premises* ['premɪsɪz] : être sur les lieux
He lives in London. – Il habite Londres
They have settled in Bordeaux. = *They have moved to Bordeaux.* – Ils se sont installés à Bordeaux.
We have decided to move. – Nous avons décidé de déménager.

A street : une rue

a one-way street : une rue à sens unique
the high street : la grand-rue
a boulevard : un boulevard
an avenue : une avenue
a cycle lane : une piste cyclable
a traffic island : un refuge
a pedestrian crossing : un passage pour piétons
an underpass : un passage souterrain
a parking meter : un parcmètre
an alley (f.a.) = *a lane* : une ruelle
a blind alley = *a cul-de-sac* : une impasse
a pedestrian precinct : une zone piétonne
a square : une place
a public garden : un square
the sewerage system : les égoûts
the dustmen (GB) = *the garbage collectors* (USA) : les éboueurs
a (dust)bin (GB) = *a garbage can* (USA) : une poubelle

to find a parking space* : trouver une place pour se garer

Work
Le travail

To work **: travailler**

a job : un travail, un emploi
a task : une tâche
an assignment [aɪ] : une tâche, une mission
an occupation (f.a.) : un métier
an occupational disease : une maladie professionnelle
a profession (f.a.) : une profession libérale
a trade : un métier (manuel)
a career : une carrière
the rat race : la foire d'empoigne
a chore : une corvée
the chores : les tâches ménagères
a workaholic : un bourreau de travail
a loafer = a shirker : un tire-au-flanc
skills = abilities : les capacités, les compétences
expertise : la compétence
overworked : surmené
to retire : prendre sa retraite

to work hard = to work long hours : travailler beaucoup = faire beaucoup d'heures
to work part-time : travailler à mi-temps
to work full time : travailler à temps plein
to work flexitime : travailler à la carte
to work overtime : faire des heures supplémentaires
to work eight-hour shifts : faire les trois-huit
to work on a production line = to work on an assembly line : travailler à la chaîne
to work as a team : travailler en équipe
to perform a task : accomplir une tâche
to do odd jobs* : faire des petits boulots
What does he do for a living? – Que fait-il dans la vie ?
I have a heavy workload. – J'ai du pain sur la planche.
He had an accident at work. – Il a eu un accident de travail.

The pay **: la paie**

wages : la paie (en espèces)
a salary : un salaire
a payslip : un bulletin de salaire

a pay increase = a pay rise : une augmentation de salaire
a fee = fees : des honoraires
income : le(s) revenu(s)
to moonlight : travailler au noir
a company car : une voiture de fonction

to earn one's living : gagner sa vie
to be entitled to fringe benefits (= perks)* : avoir droit à des avantages en nature
He's on a good salary. – Il touche un bon salaire.
He's on a high income. – Il a de gros revenus.
He makes a little money on the side. – Il gagne un peu d'argent en travaillant au noir.

Employment : l'emploi

unemployment : le chômage
unemployed = out of work : au chômage
jobless : sans emploi
an employment agency : une agence de placement
a job application : une demande d'emploi
a job ad : une offre d'emploi
a job seeker : un demandeur d'emploi
a vacant position : un poste vacant
a headhunter : un chasseur de têtes
a CV = a résumé (USA) : un CV
to recruit : recruter
to take somebody on = to hire somebody* : embaucher quelqu'un
to lay somebody off = to make* somebody redundant* : licencier quelqu'un
staff reductions : compressions de personnel
to dismiss = to sack (fam.) *= to fire* (fam.) : renvoyer quelqu'un, mettre quelqu'un à la porte
to resign : démissionner
to promote (to...) : promouvoir (au poste de...)
vocational training : formation professionnelle

to look for work = to look for a job : chercher du travail, chercher un emploi
to apply for a job : faire une demande d'emploi
to have a job interview* : passer un entretien d'embauche
to fill a post : pourvoir un poste
to go on a training course* : faire un stage de formation
to do a placement* (GB) = *to do* an internship* (USA) : faire un stage en entreprise (étudiant)
to get up the promotion ladder* : avoir de la promotion
to receive unemployment benefit : toucher des allocations de chômage
to be on sick leave* : être en congé maladie
to get severance pay* : toucher des indemnités de licenciement

labour = the labour force = manpower : la main-d'œuvre
(at) the workplace : (sur) le lieu de travail
the corporate world : le monde de l'entreprise
a company = a firm : une entreprise
the headquarters : le siège
an office : un bureau
a factory : une usine
a workshop : un atelier
a sweatshop : un atelier clandestin (où la main-d'œuvre est exploitée)
teleworking = telecommuting : le télétravail
to be self-employed : être à son compte
an employer : un employeur
the boss : le patron
the person in charge : le responsable
a (manual) worker : un travailleur (manuel)
a factory worker : un ouvrier (d'usine)
a skilled worker : un ouvrier qualifié
to clock in : pointer (en arrivant)
to clock out : pointer (en partant)
the staff = the personnel : le personnel
an executive : un cadre
an employee : un employé
a salaried worker : un salarié
an accountant : un comptable
a clerk [a] : un employé de bureau
a secretary : une secrétaire
a temp : un(e) intérimaire
to temp : faire de l'intérim
a trainee = an intern (USA) : un(e) stagiaire
a civil servant : un fonctionnaire
a labourer : un manœuvre
a handyman : un homme à tout faire
a craftsman : un artisan
an apprentice : un apprenti
a carpenter : un charpentier
a joiner : un menuisier
a cabinet maker : un ébéniste
a bricklayer : un maçon
an electrician : un électricien
a plumber ['plʌmə] : un plombier
a painter : un peintre

a trade union (GB) = *a labor union* (USA) : un syndicat
a union member : un syndiqué
a union official : un syndicaliste
a (lightning) strike : une grève (surprise)
a striker : un gréviste
a scab : un jaune

to join a union : se syndiquer
to be (to go*) on strike* : être (se mettre) en grève
to work to rule : faire une grève du zèle
to resume work : reprendre le travail

Education
L'enseignement

***The education system* : le système éducatif**

a (coeducational) school : une école (mixte)
a private school ['praɪvɪt] : une école privée
a state school : une école publique
a public school (GB) : une école privée
a boarding school : un internat
a boarder : un pensionnaire
a kindergarten : un jardin d'enfants
a nursery school : une école maternelle
a primary school : une école primaire
a comprehensive school (GB) = *a junior high school* (USA) : un collège
a grammar school (GB) = *a senior high school* (USA) : un lycée
a university : une université
a college (f.a.) : une faculté
a scholarship : une bourse

to go to school (to college)* : aller à l'école (en fac)
to drop out of school : abandonner ses études
to be in the first form* (GB) : être en sixième
to repeat a year : redoubler

a teacher : un professeur
a primary school teacher : un instituteur
a professor : un professeur d'université
the headmaster = *the principal* : le proviseur, le principal

teaching : l'enseignement
to teach somebody something* : enseigner quelque chose à quelqu'un
to study : étudier
schooling : la scolarité
tuition (indén.) : des cours
tuition fees : frais de scolarité
a course (f.a.) : des cours, une série de cours
a class : un cours
a period : une heure de cours
a lecture : une conférence
homework : les devoirs
a term : un trimestre
the summer holidays : les grandes vacances

to register for a course in... : s'inscrire à un cours, une formation, en...
I've got a French class at 11. – J'ai un cours de français à 11 heures.
He was educated in England. – Il a fait ses études en Angleterre.
What's his educational background? – Qu'a-t-il fait comme études ?
She teaches English. – Elle enseigne l'anglais.

a pupil : un élève
a class : une classe (groupe d'élèves)
attendance : la présence, l'assiduité
a schoolboy, a schoolgirl : un écolier, une écolière
a student : un étudiant

to be academically gifted* : être doué pour les études
to be good (>< hopeless) at maths* : être bon (>< nul) en maths
to learn something by heart* : apprendre quelque chose par cœur
to play up a teacher : chahuter un professeur
to skip a class : sécher un cours
We break up on Friday. – Nous sommes en vacances vendredi.

A classroom : une classe

the blackboard : le tableau noir
a piece of chalk : un morceau de craie
a duster : un chiffon
a desk : un bureau
the playground : la cour de récréation
a language lab : un labo de langues
the canteen : la cantine
the dormitory : le dortoir
the library : la bibliothèque
the staff room = the common room : la salle des professeurs
the sickroom : l'infirmerie

A schoolbag : un cartable

a textbook : un manuel
an exercise book : un cahier d'exercices
a fountain pen : un stylo à plume
a ballpoint = a biro : un stylo à bille
a marker pen : un marqueur
a felt-tip pen : un feutre
a pencil : un crayon
a rubber (GB) = *an eraser* (USA) : une gomme
a ruler : une règle
a pencil case : une trousse
a calculator : une calculatrice
a folder : une chemise

The curriculum : le programme (d'une classe)

the syllabus : le programme (d'une matière)
the timetable : l'emploi du temps
a subject : une matière
compulsory : obligatoire
optional : facultatif
the basics ['beɪsɪks] : les bases
general knowledge : la culture générale
philosophy : la philosophie
literature : la littérature
grammar : la grammaire

spelling : l'orthographe
history : l'histoire
geography : la géographie
modern languages : les langues vivantes
classical languages : les langues mortes
maths : les maths
science : les sciences
biology : la biologie
physics : la physique
chemistry [k] : la chimie
economics : l'économie
civics : l'instruction civique
physical training : l'éducation physique
handicrafts : les travaux manuels

Is it on the syllabus? – Est-ce au programme ?

An exam : un examen

a competitive exam : un concours
a written paper : un écrit
an oral : un oral
a candidate : un candidat
an examiner : un examinateur
a mark : une note
continuous assessment : le contrôle continu
a school report : un bulletin scolaire
a diploma : un diplôme
a BA (Bachelor of Arts) : une licence
a MA (Master of Arts) : une maîtrise
a graduate : un étudiant diplômé

to take an exam* : passer un examen
to pass an exam (f.a.) : réussir un examen
to fail an exam : échouer à un examen
to mark papers : noter des copies
to get 12 ouf of 20* : avoir 12 sur 20
to revise for an exam : réviser un examen
to take (to have*) A-levels* (GB) : passer (avoir) le bac
to take a degree in...* : faire une licence en...
He graduated as an architect. – Il a obtenu son diplôme d'architecte.

Economy
L'économie

An economic system **: un système économique**

capitalism : le capitalisme
free-market economy : l'économie de marché, le libéralisme
free trade : le libre échange
supply and demand : l'offre et la demande
the public sector : le secteur public
the private ['praɪvɪt] *sector* : le secteur privé
state-owned firms : les entreprises étatisées
public expenditure : les dépenses publiques
a subsidy : une subvention
to subsidize : subventionner
a depression : une crise
a downturn = a slump : une baisse d'activité
an economic recovery : une reprise économique
prosperous = thriving : prospère
growth : la croissance
the black economy : l'économie parallèle

The country is undergoing economic hardships. – Le pays connaît des difficultés économiques.

Trade **: le commerce**

barter : le troc
to export : exporter
exports : les exportations
to import : importer
imports : les importations
an outlet : un débouché
customs duties : des droits de douane
a boom in sales : une forte croissance des ventes
marketing : la mercatique

to boost (= to foster) imports : stimuler les importations
to capture a market : conquérir un marché
to get a foothold in a market* : s'implanter sur un marché
to market (to launch) a product : commercialiser (lancer) un produit
Business is booming. – Les affaires prospèrent.
Business is slack. – Les affaires marchent mal.

The standard of living : le niveau de vie

the cost of living : le coût de la vie
the purchasing power : le pouvoir d'achat
the income tax : l'impôt sur le revenu
a taxpayer : un contribuable
a tax haven : un paradis fiscal
a budget : un budget
a wage freeze : un gel des salaires
inflation : l'inflation
wealthy = rich : riche
wealth = riches : la richesse
well-off = well-to-do : aisé
the affluent society : la société d'abondance
poor : pauvre
poverty : la pauvreté
homeless : sans abri
a down-and-out : un SDF

to evade paying taxes : frauder le fisc

A company = a firm : une entreprise

a large corporation : une grosse entreprise
the head office : le siège social
a subsidiary : une filiale
the board of directors : le conseil d'administration
the CEO (Chief Executive Officer) = the managing director (GB) : le P-DG
an entrepreneur : un chef d'entreprise
a tycoon : un gros homme d'affaires
an industrialist : un industriel
accountancy = book-keeping : la comptabilité
a chartered accountant : un expert-comptable
to merge : fusionner (entreprises)
a merger : une fusion
to compete with... : être en concurrence avec...
fierce competition : concurrence acharnée
a competitor : un concurrent
a profit >< a loss : un bénéfice >< une perte
a turnover : un chiffre d'affaires
poor management : une mauvaise gestion

to set* up a company : créer une entreprise
to run* a business : diriger une affaire
to make* profits = to turn a profit : faire des bénéfices
to take* over a business : reprendre une affaire
to buy* out a company : racheter une entreprise
to run* into debt [det] : s'endetter
to sign (>< to break*) a contract : signer (>< rompre) un contrat
to go* bankrupt : faire faillite
to go* into liquidation : déposer son bilan

Money : l'argent

a moneybox = a piggy bank : une tirelire
a banknote (GB) = _a bill_ (USA) : un billet

a coin : une pièce
change : de la monnaie
a currency : une devise
a bank : une banque
a bank account : un compte en banque
a savings account : un compte d'épargne
a chequebook : un chéquier
*to lend** >< *to borrow* : prêter >< emprunter
to invest (in...) : investir (dans...)
a safe : un coffre-fort
a cash machine = a cash dispenser = an ATM : un distributeur de billets

to save (to spend, to squander) money* : économiser (dépenser, gaspiller) de l'argent
to open an account with a bank : ouvrir un compte dans une banque
to write a cheque for 100 euros* : faire un chèque de 100 euros
to issue a bad cheque : faire un chèque sans provision
to withdraw money* : retirer de l'argent
to pay by cheque (by credit card)* : payer par chèque (par carte de crédit)
to be granted a loan* : obtenir un prêt
My account is in the red. – Mon compte est à découvert.

The Stock Exchange = the Stock Market : la Bourse

shares = stocks : des actions
bonds : des obligations
mutual funds : des SICAV
securities : des valeurs, des titres
a shareholder : un actionnaire
a broker : un courtier

to gamble on the Stock Exchange : jouer à la Bourse
The market is going up (>< is going down). – La Bourse monte (>< descend).
It yields 10%. – Cela rapporte 10 %.

Consumption
La consommation

***A consumer* : un consommateur**

a customer = a shopper : un client
consumer goods : des biens de consommation
to consume : consommer
to buy = to purchase* ['pɜ:tʃəs] : acheter
*to sell** : vendre
a product : un produit
an item ['aɪtam] = *an article* : un article
a range of goods : une gamme de produits
a brand : une marque (produits d'usage courant)
a make : une marque (produits coûteux)

to do the (= to go*) shopping* : (aller) faire les courses
to go window-shopping* : faire du lèche-vitrine
to order an item : commander un article
to place an order : passer une commande

***The price* : le prix**

*to cost** : coûter
expensive : cher
cheap : bon marché
free : gratuit
an increase in prices : une augmentation des prix
economical : économique (= qui permet d'économiser)
a bill = an invoice : une facture
a receipt [ɪ'sɪ:t] : un reçu
to bargain = to haggle : marchander
a guarantee slip : un bon de garantie

to spend money* : dépenser de l'argent
to go round the sales* : faire les soldes
to pay a bill* : payer une facture
to pay cash* : payer comptant
to buy something on credit* : acheter quelque chose à crédit
to take out a loan (a mortgage)* : contracter un emprunt (un emprunt immobilier)

to get into debt* [det] : s'endetter
to get a refund* : se faire rembourser
How much is it? = How much does it cost ? – Combien cela coûte-t-il ?
It's good value. – C'est d'un bon rapport qualité-prix.
It's a real bargain. – C'est une bonne affaire.
I got this in a sale (= *on sale* [USA]). – J'ai acheté ceci en solde.
Prices are going up. = Prices are increasing. – Les prix augmentent.
Prices are going down. = Prices are decreasing. – Les prix baissent.
They owe me 50 euros. – Ils me doivent 50 euros.
I bought this for next to nothing. – J'ai acheté ceci pour une bouchée de pain.
I'll give you a 10% discount. – Je vous accorde une remise de 10 %.

A distribution channel : un circuit de distribution

mail-order selling : la vente par correspondance
a shop : une boutique
a corner shop : un commerce de proximité
a store : un magasin
a department store : un grand magasin
a boutique : une boutique de mode
a supermarket : un supermarché
a hypermarket : un hypermarché
a branch : une succursale
a trade fair : une foire commerciale
a shopping mall = a shopping centre : un centre commercial
a shopping arcade : une galerie marchande
a (flea) market : un marché (aux puces)
a stall : un étal
shoplifting : le vol à l'étalage

to buy something second-hand* : acheter quelque chose d'occasion
to have something delivered* : faire livrer quelque chose
to have something dispatched* : faire expédier quelque chose
I bought this by mail order. – J'ai acheté ceci par correspondance.
You must apply to the after-sales service. – Il faut vous adresser au service après-vente.

a shopkeeper : un commerçant
a retailer : un détaillant
a wholesaler : un grossiste
a car dealer : un concessionnaire automobile
a shop assistant : un vendeur

to sell something retail* : vendre au détail
to buy something wholesale* : acheter quelque chose en gros

A butcher's : une boucherie

a baker's : une boulangerie
a grocer's : une épicerie
a confectioner's : une confiserie
a fishmonger's : une poissonnerie
a dairy : une crémerie
a delicatessen : une épicerie fine

a sandwich bar : une sandwicherie
a wine merchant : un marchand de vins
a florist's : un fleuriste
a newsagent's : un marchand de journaux
a bookshop : une librairie
a stationer's : une papeterie
a shoe shop : un magasin de chaussures
a DIY (= do-it-yourself) shop : un magasin de bricolage
a chemist's : une pharmacie
a jeweller's : une bijouterie
a hairdresser's : un salon de coiffure
a gift shop : une boutique de cadeaux

to go to the baker's* : aller chez le boulanger

A shelf : un rayonnage

a counter : un comptoir
a label : une étiquette
the sell-by date : la date limite de vente
a trolley : un chariot
a cash desk = a check-out (dans une grande surface) : une caisse
a cashier = a check-out assistant (dans une grande surface) : une caissière
a cash register : une caisse enregistreuse
in the window : dans la vitrine

to display goods : exposer des marchandises
Can you gift-wrap it? – Pouvez-vous faire un paquet-cadeau ?

A warehouse : un entrepôt

a warehouseman : un manutentionnaire
to handle : manipuler, manier
packaging : le conditionnement
a pack = a parcel : un paquet
a cardboard box : un carton
a crate : une caisse

Advertising (indén.) : la publicité

an advertisement = an ad : une publicité
a TV commercial : un spot publicitaire
hype : le matraquage publicitaire, le battage

to launch an advertising campaign : lancer une campagne publicitaire
to advertise a brand : faire de la publicité pour une marque
They do a lot of advertising. – Ils font beaucoup de publicité.

Information technology, telecommunications, the media
L'informatique, les télécommunications, les médias

Information technology = IT = computer science : l'informatique

data processing : le traitement des données
a computer scientist : un informaticien
a PC (= a Personal Computer) : un PC
a desktop computer : un ordinateur de bureau
a laptop : un ordinateur portable
to computerize : informatiser
hardware : le matériel
software (indén.) : les logiciels
a programme = an application : un logiciel
a word-processing application : un (logiciel de) traitement de texte
an update : une mise à jour
the monitor : le moniteur
the screen : l'écran
the keyboard : le clavier
a key : une touche
a mouse : une souris
a mouse pad : un tapis pour souris
a printer : une imprimante
the CPU (Central Processing Unit) : l'unité centrale
a byte : un octet
a hard disk : un disque dur
a floppy : une disquette
a floppy drive : un lecteur de disquettes
a CD-ROM : un CD- ROM
a peripheral : un périphérique
a video game : un jeu vidéo
a joystick : une manette de jeu
a modem : un modem

> *to key in data = to feed* data into a computer* : saisir, entrer, des données
> *to delete data = to erase data* : effacer des données

The Internet : l'Internet

a service provider : un fournisseur d'accès
to log on >< to log off : se connecter (à l'Internet) >< se déconnecter
a home page : une page d'accueil
a search engine : un moteur de recherche
to email : envoyer par e-mail

to have the Internet* : avoir l'Internet
to surf the Internet : surfer sur l'Internet
to go on-line* : accéder à l'Internet
to access a Website : consulter un site
to download a programme : télécharger un programme
to print out a document : tirer un document
to send an email* : envoyer un courriel
to check one's email : consulter son courrier électronique
My computer keeps crashing all the time. – Mon ordinateur ne cesse de planter.
He's always tapping away at his keyboard. – Il est continuellement en train de pianoter sur son clavier.

a virus : un virus
a bug : un bogue
a hacker : un pirate

He managed to hack into the system. – Il a réussi à pirater le système.

The (tele)phone **: le téléphone**

to phone somebody = to call somebody : téléphoner à quelqu'un
to hang up* : raccrocher
a cordless phone : un téléphone sans fil
a phone box = a phone booth : une cabine téléphonique
a phonecard : une carte téléphonique
extension 25 : le poste 25
the switchboard : le standard
a switchboard operator : une standardiste
an answering machine : un répondeur téléphonique
a fax : une télécopie, un fax
a fax machine : un télécopieur, un fax
to fax : faxer
an intercom = a buzzer : un interphone
a mobile (phone) = a cellphone : un téléphone portable
a pager : un bip

to make a (phone) call* : passer un coup de téléphone
to answer the phone : répondre au téléphone
to dial a number : composer un numéro
to check one's voice mail : consulter sa messagerie vocale
to look up somebody's number in the directory : chercher le numéro de quelqu'un dans l'annuaire
Who's speaking? – Qui est à l'appareil ?
(This is) John speaking. – C'est John à l'appareil.
Could I speak to Mr Wilson? – Pourrais-je parler à M. Wilson ?

Could you put me through to Mr Wilson? – Pourriez-vous me passer M. Wilson ?
Could you give me Betty? – Pourrais-tu me passer Betty ?
I'll call you back later. – Je vous rappellerai plus tard.
The line is engaged (GB). = *The line is busy* (USA). – C'est occupé.
There's no reply. – Ça ne répond pas.
You dialled the wrong number. – Vous vous êtes trompé de numéro.
We were cut off. – Nous avons été coupés.
Hold on! – Ne quittez pas !

The mail : le courrier

a letter : une lettre
a postcard : une carte postale
an envelope : une enveloppe
an address : une adresse
a stamp : un timbre
a parcel : un colis
a letter box : une boîte aux lettres (personnelle)
a post box (GB) = *a mailbox* (USA) : une boîte aux lettres (pour poster)
the postmark : le cachet de la poste
a collection : une levée
a delivery : une distribution
a telegram : un télégramme

to mail a letter : poster une lettre.
to have one's mail forwarded* : faire suivre son courrier
to stick on a stamp : coller un timbre
How much is a letter to India? – À combien faut-il affranchir une lettre pour l'Inde ?

The press : la presse

a newspaper = *a paper* (fam.) : un journal
a daily : un quotidien
a magazine : un magazine
a journalist : un journaliste
an editor : un rédacteur en chef

to hit the headlines* : faire la une des journaux
This newspaper has a large circulation. – Ce journal réalise de gros tirages.

The radio : la radio

on the radio : à la radio
a wavelength : une longueur d'onde

Television = *TV* : la télévision = la télé

the screen : l'écran
satellite television : la télévision par satellite
cable television : la télévision par câble
on TV : à la télé

*to broadcast** : diffuser
a broadcast = *a programme* : une émission
a newscast : un bulletin d'informations
a newscaster : un présentateur
a host : un animateur
the viewers : les téléspectateurs

to listen to the radio : écouter la radio
to watch television : regarder la télévision
What time is the news? – À quelle heure sont les informations ?
This variety show has good ratings. – Cette émission de variétés a un bon Audimat.

Science, industry, farming
La science, l'industrie, l'agriculture

A scientist **: un scientifique, un savant**

scientific : scientifique
a researcher : un chercheur
an engineer : un ingénieur
a laboratory, a lab : un laboratoire, un labo
a discovery : une découverte
a breakthrough : un progrès, une percée
findings : des constatations
an achievement : une réalisation, une réussite

to do research (on... = into...)* : faire de la recherche, des recherches (sur...)
to carry out an experiment : faire une expérience
to undergo tests* : être soumis à des essais
to make progress = to make* headway* : faire des progrès

Physics **: la physique**

a physicist : un physicien
chemistry [ke] : la chime
a chemist : un chimiste
chemical : chimique
a chemical : un produit chimique
the splitting of the atom : la fission de l'atome

Raw materials **: les matières premières**

an ore : un minerai
gold : l'or
silver : l'argent
iron : le fer
cast iron : la fonte
steel : l'acier
brass : le laiton
copper : le cuivre
lead [e] : le plomb
aluminium : l'aluminium
coal : le charbon
oil = petroleum : le pétrole

Industry **: l'industrie**

metallurgical industry : la métallurgie
the steel industry : la sidérurgie
the oil industry : l'industrie pétrolière
mining : l'industrie minière
shipbuilding : la construction navale
the textile industry : l'industrie textile

a factory = a plant : une usine
to manufacture : fabriquer
to process : traiter
to recycle : rècycler
an output of 20 tons a day : une production de 20 tonnes par jour
a coal mine = a colliery (GB) : une houillière, une mine de charbon

a miner : un mineur
to extract : extraire
a steelworks : une aciérie
a power station : une centrale électrique
a dam : un barrage

an oil field : un gisement pétrolifère
an oil well : un puits de pétrole
a refinery : une raffinerie

an oil rig : un derrick ; une plate-forme pétrolière
to drill : forer, effectuer des forages

to strike oil* : trouver du pétrole

a nuclear power station = a nuclear plant (USA) : une centrale nucléaire
nuclear waste : les déchets nucléaires
a nuclear reprocessing plant : une usine de retraitement des déchets nucléaires

Farming = *agriculture* : **l'agriculture**

organic farming : l'agriculture biologique
a farm : une exploitation agricole
a farmhouse : une ferme (le bâtiment)
a barn : une grange
an orchard : un verger
a farmer : un agriculteur
a peasant [e] : un paysan
a wine grower ; un viticulteur
a vineyard ['vɪnjəd] : un vignoble

the cultivation of cotton : la culture du coton
a crop : une récolte
a harvest : une moisson
agricultural produce (indén.) : les produits agricoles
genetically modified organisms = GMOs : les organismes génétiquement modifiés = les OGM

to work on a farm : travailler dans une ferme
to grow vegetables* : cultiver des légumes
to harvest the grapes : faire les vendanges

a land : une terre, un terrain
the ground = the soil : le sol
earth : de la terre
a haystack : une meule de foin
straw : la paille
a tractor : un tracteur
a plough [aʊ] : une charrue

a fertilizer : un engrais
manure : le fumier
weeds : les mauvaises herbes
*to sow** [əʊ] : semer
fertile >< barren : fertile >< stérile, improductif

to plough a field : labourer un champ

Wheat = _corn_ (GB) : le blé

maize (GB) = *corn* (USA) : le maïs
barley : l'orge
oats : l'avoine

to reap the corn : moissonner le blé

Cattle : le bétail

200 head of cattle : 200 têtes de bétail
cattle breeding : l'élevage

Politics, peace, war
La politique, la paix, la guerre

***Politics* (+ sing. ou pl.) : la politique**

political : politique
a politician : un politicien, un homme politique
a policy : une politique
a party : un parti
the Tory Party (GB) : le parti conservateur
the Labour Party (GB) : le parti travailliste
the Republican Party = the Grand Old Party (USA) : le parti républicain
the Democratic Party (USA) : le parti démocrate
a conservative : un conservateur
conservatism : le conservatisme
a socialist : un socialiste
socialism : le socialisme
a radical : un radical
a communist : un communiste
a Marxist : un marxiste
a nationalist : un nationaliste
a fascist : un fasciste
a royalist : un royaliste
a monarchist : un monarchiste
an anarchist : un anarchiste
an extremist : un extrémiste
a hard-liner : un pur et dur
a reactionary : un réactionnaire

to be politically-minded* : s'intéresser à la politique
to be in (to go* into) politics* : faire de (se lancer dans) la politique
to join (to belong to) a party : adhérer à (être membre d') un parti
to adopt a policy : adopter une politique
What are his politics? – Quelles sont ses idées politiques ?

***A country* : un pays**

a state : un État
a nation : une nation
an empire : un empire
a kingdom : un royaume
royalty : la royauté
a republic : une république
republican : républicain
a democracy : une démocratie
democratic : démocratique
a dictatorship : une dictature
tyranny : la tyrannie
a totalitarian state : un État totalitaire
a statesman : un homme d'État
a president : un président
a leader : un dirigeant

a ruler = *a sovereign* [ʌ] : un souverain
a king : un roi
a queen : une reine
a coronation : un couronnement
the throne : le trône
an emperor : un empereur
an empress : une impératrice
a dictator : un dictateur
a tyrant : un tyran
to rule : gouverner
to reign : régner

to be in power* : être au pouvoir
to come to power* : parvenir au pouvoir
to seize power : s'emparer du pouvoir

A citizen : un citoyen

civil rights : les droits civiques
to oppress : opprimer
oppression : l'oppression
to demonstrate : manifester
a demonstration : une manifestation
a rebellion : une rébellion
a rebel : un rebelle
class struggle : la lutte des classes
a revolution : une révolution
a revolt : une révolte
to revolt : se révolter
a riot [aɪ] : une émeute
an uprising : un soulèvement
a coup : un coup d'État
social unrest : l'agitation sociale
autonomy = *self-government* : l'autonomie

to overthrow the government* : renverser le gouvernement
to gain independence : obtenir l'indépendance

A parliament : un parlement

an assembly : une assemblée
the House of Commons (GB) : la Chambre des communes
the House of Lords (GB) : la Chambre des lords
Congress (USA) : le Congrès
the House of Representatives (USA) : la Chambre des représentants
the Senate (USA) : le Sénat
a Member of Parliament = *an MP* (GB) = *a congressman, a congresswoman* (USA) : un(e) député(e)
a bill : un projet de loi
an opponent : un opposant
the government [ʌ] : le gouvernement
a spokesperson : un porte-parole
the legislature = *the legislative body* : le corps législatif
the excutive : l'exécutif
the judiciary : le judiciaire
a minister : un ministre
a ministry : un ministère
the Prime Minister = *the Premier* : le Premier ministre
a cabinet reshuffle : un remaniement ministériel
a lobby : un groupe de pression
to reform : réformer
a reformer : un réformateur
to legislate : légiférer

to pass a law : voter une loi
to enforce (to repeal) a law : appliquer (abroger) une loi

To vote : voter

to elect : élire
an election campaign : une campagne électorale
an opinion poll : un sondage d'opinion
a ballot : un scrutin
an abstainer = a non-voter : un abstentionniste
a candidate : un candidat
a constituency : une circonscription électorale

to hold an election* : procéder à une élection
to stand for Parliament* (GB) : se présenter au Parlement
to run for President* (USA) : se présenter aux élections présidentielles
to go to the polls* : aller aux urnes
to vote by a show of hands : voter à main levée
to be left-wing (>< right-wing)* : être de gauche (>< de droite)
The Conservatives are in office. – Les Conservateurs sont au pouvoir.
There was a high (>< low) turnout (at the polls). – Il y a eu un fort (>< faible) taux de participation (électorale).
He was elected in the first round. – Il a été élu au premier tour.

Peace : la paix

a civilian : un civil
a truce : une trêve
a ceasefire : un cessez-le-feu
to negotiate : négocier
nuclear deterrence : la dissuasion nucléaire
an ally ['ælaɪ] : un allié

to enter into an alliance with... [ə'laɪəns] : s'allier avec...
to sign a peace treaty : signer un traité de paix

War : la guerre

civil war : la guerre civile
the enemy : l'ennemi
a spy : un espion
a conflict : un conflit
to fight (with) somebody* : se battre avec quelqu'un
to struggle : lutter
to retaliate against... : user de représailles contre...
a bloodshed : un bain de sang
a crime against humanity : un crime contre l'humanité
a battle : une bataille
a battlefield : un champ de bataille
the front line : le front
a surprise attack : une attaque surprise
an ambush : une embuscade
an assault : un assaut
the vanguard >< the rearguard : l'avant-garde >< l'arrière-garde

a patrol : une patrouille
to reconnoitre : faire une reconnaissance
a sniper : un tireur embusqué
trenches : des tranchées
a campaign : une campagne
to invade : envahir
to destroy : détruire
to besiege : assiéger
a conquest : une conquête
a blockade : un blocus
a curfew : un couvre-feu
the victors : les vainqueurs
a victory >< *a defeat* : une victoire >< une défaite
to vanquish = *to defeat* : vaincre
*to put** *to flight* : mettre en fuite
*to flee** : fuir
to retreat : battre en retraite
to surrender to... : se rendre à...
casualties : des pertes
a P.O.W. (Prisoner Of War) : un prisonnier de guerre
a refugee : un réfugié
a veteran : un ancien combattant

to declare war on... : déclarer la guerre à...
to wage war on... : faire la guerre à...
*to be** *at war* : être en guerre
*to hit** *the target* : atteindre la cible
*to fight** *a battle* : livrer bataille
*to fight** *hand-to-hand* : combattre au corps-à-corps
*to be** *taken prisoner* : être fait prisonnier
*to be** *reported missing* : être porté disparu
*to win** *(>< to lose*) a battle* : gagner (>< perdre) une bataille
*to be** *on leave* : être en permission

The army : l'armée

the armed forces : les forces armées
the military (+ plur.) : les militaires, l'armée
the land forces : l'armée de terre
the navy : la marine de guerre
the air force : l'armée de l'air
a professional army : une armée de métier
an officer : un officier
a non-commissioned officer (an N.C.O.) : un sous-officier
a sergeant [a:] : un sergent
a lieutenant [lef'tenənt] : un lieutenant
a general : un général
a colonel ['kɜ:nəl] : un colonel
an admiral : un amiral
the troops : les troupes
the barracks : la caserne
the headquarters : le quartier général
a fleet : une flotte
a soldier : un soldat
a private : un simple soldat
a volunteer : un engagé volontaire
a mercenary : un mercenaire
a conscript : un conscrit

to join the army : s'engager dans l'armée
The military were called. – On a fait appel à l'armée.

Countries, nationalities, peoples
Pays, nationalités, peuples

A nation : une nation

an inhabitant : un habitant
a native : un autochtone
a flag : un drapeau
the national anthem : l'hymne national
the mother tongue : la langue maternelle
the motherland : la patrie
chauvinistic : chauvin

Foreign : étranger

a foreigner : un étranger
a border : une frontière
an ethnic group : une ethnie
a colony : une colonie

Africa : l'Afrique / _African_ : africain / _an African_ : un Africain / _the Africans_ : les Africains

America : l'Amérique
American : américain
Asia : l'Asie
Asian : asiatique
Australia : l'Australie
Australian : australien
Brazil : le Brésil
Brazilian : brésilien
Cambodia : le Cambodge
Cambodian : cambodgien
Canada : le Canada
Canadian : canadien
Europe : l'Europe
European : européen
Germany : l'Allemagne
German : allemand
India : l'Inde
Indian : indien
Italy : l'Italie
Italian : italien
Mexico : le Mexique
Mexican : mexicain
Morocco : le Maroc
Moroccan : marocain
Norway : la Norvège
Norwegian : norvégien
Russia : la Russie
Russian : russe

Denmark : le Danemark / _Danish_ : danois / _a Dane_ : un Danois / _the Danes_ : les Danois

Arab : arabe
an Arab : un Arabe
(Great) Britain : la Grande-Bretagne
British : britannique

a Briton : un Britannique
the Britons = the British : les Britanniques
Greece : la Grèce
Greek : grec
a Greek : un Grec
Iraq : l'Irak
Iraqi : iraquien
an Iraqi : un Iraquien
Israel : Israel
Israeli : israélien
an Israeli : un Israélien
Jewish : juif
a Jew : un Juif
New Zealand : la Nouvelle-Zélande
New Zealand (adj. épith.) : néo-zélandais
a New Zealander : un Néo-Zélandais
Pakistan : Pakistan
Pakistani : pakistanais
a Pakistani : un Pakistanais
Poland : la Pologne
Polish : polonais
a Pole : un Polonais
Scotland : l'Écosse
Scottish : écossais
a Scot : un Écossais
Serbia : la Serbie
Serbian : serbe
a Serb : un Serbe
Spain : l'Espagne
Spanish : espagnol
a Spaniard : un Espagnol
Sweden : la Suède
Swedish : suédois
a Swede : un Suédois
Thailand : la Thaïlande
Thai : thaïlandais, thaï
a Thai : un Thaïlandais, un Thaï
Turkey : la Turquie
Turkish : turc
a Turk : un Turc

to speak Arabic* : parler arabe

China : la Chine / Chinese : chinois / a Chinese : un Chinois / the Chinese : les Chinois

Japan : le Japon
Japanese : japonais
Lebanon : le Liban
Lebanese : libanais
Portugal : le Portugal
Portuguese : portugais
Switzerland : la Suisse
Swiss : suisse

England : l'Angleterre / English : anglais / an Englishman : un Anglais / the English : les Anglais

France : la France
French : français
the Netherlands : les Pays-Bas
Dutch : néerlandais
Ireland : l'Irlande
Irish : irlandais
Wales : le Pays de Galles
Welsh : gallois

Transport
Les transports

To walk : marcher

a pedestrian : un piéton

to go on foot* : aller à pied
Can I walk it ? – Est-ce que je peux y aller à pied ?

A vehicle : un véhicule

a (second-hand) car : une voiture (d'occasion)
an estate car (GB) = *a station wagon* (USA) : un break
a four-by-four = *an SUV (Sports Utility Vehicle)* : un quatre-quatre
a convertible : une décapotable, un cabriolet
a lorry (GB) = *a truck* (USA) : un camion
a van : une camionnette
a driver : un conducteur
a motorist : un automobiliste
a lorry driver (GB) = *a trucker* (USA) : un camionneur, un routier
a driving licence = *a driver's licence* (USA) : un permis de conduire
the car papers : les papiers de la voiture

to drive a car* : conduire une voiture
to travel by car : voyager en voiture

A garage : un garage

a tow truck : une dépanneuse
a mechanic : un mécanicien
spare parts : des pièces de rechange
the engine : le moteur
the tank : le réservoir
petrol (GB) = *gas* (USA) : l'essence
unleaded petrol : l'essence sans plomb
a petrol station : un poste d'essence
the (steering) wheel : le volant
the gear lever (GB) = *the gearshift* (USA) : le levier de vitesses
the brakes : les freins
to brake : freiner
the accelerator : l'accélérateur
the battery : la batterie
the exhaust pipe : le pot d'échappement
the wheels : les roues

a spare wheel : une roue de secours
a tyre : un pneu
a jack : un cric
the ignition key : la clef de contact

to repair a car : réparer une voiture
to have a car serviced* : faire réviser une voiture
to change the oil : faire la vidange
to switch on (>< to switch off) the engine : mettre (>< couper) le contact
to start a car : faire démarrer une voiture
to change gear : changer de vitesse
to engage first gear : passer en première
to inflate the tyres : gonfler les pneus
to have a breakdown = to break down* : avoir une panne
We had a puncture on the motorway. – Nous avons crevé sur l'autoroute.
We ran out of petrol on the motorway. – Nous sommes tombés en panne d'essence sur l'autoroute.
☺ *Fill her up, please.* – Faites le plein, s'il vous plaît.

The body : la carrosserie

a door : une portière
a window : une vitre
the rear window : la lunette arrière
the windscreen (GB) = *the windshield* (USA) : le pare-brise
the windscreen wipers : les essuie-glace
an indicator : un clignotant
the headlights : les phares
a numberplate (GB) = *a licence plate* (USA) : une plaque d'immatriculation
the boot (GB) = *the trunk* (USA) : le coffre
the bonnet (GB) = *the hood* (USA) : le capot
a wing : une aile
a bumper : un pare-chocs

to turn on the headlights : allumer les phares
to flash one's headlights : faire des appels de phares

A seat : un siège

the dashboard : le tableau de bord
the speedometer : le compteur (de vitesse)
the mileometer (GB) = *the odometer* (USA) : le compteur kilométrique
the (rear-view) mirror : le rétroviseur (central)
the horn : le klaxon
to hoot : klaxonner

to fasten (>< to unfasten) one's seat belt : attacher (>< détacher) sa ceinture de sécurité

Traffic : la circulation

to stop : s'arrêter
to back up : reculer, faire marche arrière
to slow down : ralentir
to accelerate = to speed up* : accélérer
the traffic lights : les feux de circulation
to skid : déraper
to overturn : se renverser, se retourner
to smash into... : s'écraser contre...
a road sign = a signpost : un panneau
drunk driving : la conduite en état d'ivresse
a breathalyser : un alcootest
to breathalyse somebody : faire subir à quelqu'un un alcootest
a traffic jam : un embouteillage
at rush hours : aux heures de pointe

to go for a drive* : faire un tour en voiture
to do a U-turn* : faire un demi-tour
to overtake a car = to pass a car* : dépasser une voiture
to cut in on a car* : faire une queue de poisson à une voiture
to bump into a car : tamponner une voiture, rentrer dans une voiture
to jump the lights = to go through a red light* : brûler un feu rouge
to exceed the speed limit : dépasser la limitation de vitesse
to be caught on speed camera* : être pris par un contrôle radar
Traffic is heavy. – Il y a beaucoup de circulation.
She was fined for speeding. – Elle a eu une amende pour excès de vitesse.
The lights were red. – Le feu était au rouge.
☺ *Step on the gas!* – Appuie sur le champignon !

A route : un itinéraire

a map : une carte
a street map : un plan de ville
a GPS system : un système GPS
to stop over in... : faire une étape à...
a road : une route
a trunk road (GB) = *a highway* (USA) : une route nationale
a motorway (GB) = *a freeway* (USA) : une autoroute
a bend : un virage
the pavement (GB) = *the sidewalk* (USA) : le trottoir
the roadway (GB) = *the pavement* (USA) : la chaussée
a ring road : un périphérique
a blind alley = a cul-de-sac : une impasse
a crossroads : un carrefour
a roundabout : un rond-point
a one-way street : une rue à sens unique
a bridge : un pont
a car park (GB) = *a parking lot* (USA) : un parking

to change lanes : changer de file
to take a short cut* : prendre un raccourci

A two-wheeler : un deux-roues

a bicycle : une bicyclette
a motorcycle : une moto
a moped : une mobylette
the handlebars : le guidon
the pedals : les pédales
to pedal : pédaler
a bicycle pump : une pompe à vélo
a lock : un antivol

to go cycling* : faire de la bicyclette, faire du vélo
to go by bicycle* : aller à vélo
to ride a bicycle (a motorcycle)* : monter sur une bicyclette (une moto)
to wear a helmet* : porter un casque

To hitchhike : faire de l'auto-stop

a hitchhiker : un auto-stoppeur

Could you give me a lift to Exeter? – Pourriez-vous m'emmener à Exeter ?

Public transport : les transports en commun

the fare : le prix du billet
a fare dodger : un resquilleur
a bus : un bus
a coach : un car
a tram (GB) = *a streetcar* (USA) : un tramway
an underground station : une station de métro
to get off at...* : descendre à...
a taxi = *a cab* : un taxi
a cabdriver : un chauffeur de taxi
a taxi stand = *a taxi rank* : une station de taxis

to use public transport : prendre les transports en commun
to go by bus* : aller en bus, prendre le bus
to take the underground* = *to take* the tube* (GB) = *to take* the subway* (USA) : prendre le métro
to take the Victoria line* : prendre direction Victoria

A railway line : une ligne de chemin de fer

the rails : les rails
the track : la voie
a level crossing : un passage à niveau
a tunnel : un tunnel
a station : une gare
a locker : une consigne
a platform : un quai
a passenger : un passager
a carriage (GB) = *a car* (USA) : une voiture
a compartment : un compartiment
a (railway) engine : une locomotive
a buffet car : une voiture-bar
a sleeping car : un wagon-lit
the luggage van : le fourgon à bagages

a berth = *a couchette* : une couchette
a timetable = *a schedule* : un horaire
the departure : le départ
the arrival : l'arrivée
a connection : une correspondance
the ticket office : le guichet
a valid ticket : un billet valable
the ticket inspector : le contrôleur
the station master : le chef de gare
a trolley (GB) = *a cart* (USA) : un chariot à bagages
a single ticket to... (GB) = *a one-way ticket to...* (USA) : un aller simple pour...
a return ticket (GB) = *a round-trip ticket* (USA) : un billet aller-retour

to go by train* : aller en train
to book a seat : réserver une place
to travel first (second) class : voyager en première (seconde) classe
to punch a ticket : 1) poinçonner un ticket ; 2) composter un billet
The train leaves at 8.30. – Le train part à 8 h 30.
The train is due at 8.30. – Le train doit arriver à 8 h 30.
When is the next train to London? – Quand est le prochain train pour Londres ?
The train is on schedule (>< behind schedule). – Le train est à l'heure (>< en retard).

An airplane = *a plane* : un avion

an aircraft : un appareil
a jet (plane) : un avion à réaction
a helicopter : un hélicoptère
a glider : un planeur
*to fly** : prendre l'avion
a (domestic, scheduled, charter) flight : un vol (intérieur, régulier, charter)
an airport : un aéroport
a terminal : un aérogare
an airline : une compagnie aérienne
a boarding pass : une carte d'enregistrement
a shuttle : une navette
a gate : une porte
the baggage claim : la livraison des bagages
a carousel : un tapis roulant
the left-luggage office : la consigne
a runway : une piste
the cabin : la cabine
the cockpit : le poste de pilotage
a wing : une aile
the undercarriage (GB) = *the landing gear* (USA) : le train d'atterrissage
a propeller : une hélice
the pilot : le pilote
the captain : le capitaine
the crew : l'équipage
a stewardess : une hôtesse de l'air
a steward : un steward
the control tower : la tour de contrôle
an air traffic controller : un aiguilleur du ciel
to take off* : décoller
to land : atterrir

to travel economy class : voyager en classe économique
to cancel a flight : annuler un vol
to be delayed* : être retardé
to check in (one's luggage) : enregistrer ses bagages
to go through the customs* : passer la douane
to board a plane : monter à bord d'un avion
to be jet-lagged* : souffrir du décalage horaire

A ship : un navire

a boat : un bateau
a voyage : un voyage (en bateau)
a liner : un paquebot
a ferryboat : un ferry
a steamer : un bateau à vapeur
a cabin : une cabine
a crossing : une traversée
to call at... : faire escale à...
to drift : dériver
a tug : un remorqueur
to tug : remorquer
a cargo boat : un cargo
a barge : une péniche
a fishing boat : un bateau de pêche
a speedboat : un hors-bord
a sailing boat : un bateau à voiles
a sail : une voile
to row : ramer
a rowing boat : un bateau à rames
an oar : une rame
a paddle : une pagaie

The deck : le pont

the hull : la coque
the keel : la quille
the anchor : l'ancre
a mast : un mât
a propeller : une hélice
the wake : le sillage
the rudder : le gouvernail
the tiller : la barre (de petit bateau)
the helm : la barre (de gros bateau)
on the starboard side : à tribord
on the port side : à bâbord
the hold : la cale
the gangway : la passerelle d'embarquement

The captain = the skipper (fam.) : le capitaine

a sailor : un marin
the crew : l'équipage

A harbour : un port

a port : une ville portuaire
a quay [kɪː] : un quai
the landing stage : l'embarcadère
a lighthouse : un phare

to get under way = to cast* off* : appareiller
to be heading for... = to be* headed for...* : mettre le cap sur...
to feel seasick* : avoir le mal de mer

Tourism and holidays
Tourisme et vacances

Travel (indén.) : les voyages

to travel : voyager
a traveller : un voyageur
a tourist : un touriste
a holiday-maker = a vacationer (USA) : un vacancier
a trip = a journey (surtout GB) : un voyage
a voyage (f.a.) : un voyage en bateau

to be fond of travel* : aimer les voyages
to take a holiday* : prendre des vacances, prendre un congé
to go on holiday = to go* on vacation* (USA) : partir en vacances
to go on a trip (to...)* : faire un voyage (en..., à...)
to take three days off* : prendre trois jours de congé
to make a long weekend of it* : faire le pont
to go on a package tour* : faire un voyage organisé
to go on safari* : faire un safari
to go on a cruise* : faire une croisière
to go on an excursion* : faire une excursion
to go back-packing* : voyager sac à dos
to go round the world* : faire le tour du monde
to go trekking* : faire de la randonnée
to go sightseeing* : faire du tourisme
to go on a guided tour* : faire une visite guidée
to go abroad* : aller à l'étranger
Next Tuesday is a public holiday. – C'est férié mardi prochain.
I'm going on a skiing holiday at Christmas. – Je vais aux sports d'hiver à Noël.
I'm going away for the weekend. – Je pars pour le week-end.
Have a good holiday! – Bonnes vacances !
Have a good trip! – Bon voyage !

Luggage **(indén.) : bagages**

to pack (one's luggage) : faire ses valises
a trunk : une malle
a bag : un sac
a suitcase : une valise

I haven't got much luggage. – Je n'ai pas beaucoup de bagages.

The tourist office **: l'office du tourisme**

a travel agency [ei] : une agence de voyages
a tour operator : un voyagiste
a brochure : une brochure
a leaflet : un dépliant
a guide : 1) un guide (personne) ; 2) (= *a guidebook*) un guide (livre)
a car rental office : une agence de location de voitures
a seaside resort : une station balnéaire
a skiing resort : une station de ski
a spa : un centre de remise en forme
in the peak season : en pleine saison
in the off season : en saison creuse

to plan a holiday : organiser des vacances
to hire a car (GB) = *to rent a car* (USA) : louer une voiture
to rent a house : louer une maison
The place is very popular with tourists. = *It's a touristy place.* – C'est un endroit très touristique.

A camping site **: un camping**

a camper : un campeur
a sleeping bag : un sac de couchage
a backpack : un sac à dos
a caravan : une caravane
a motor home : un « camping-car »

to go camping* : faire du camping
to put up (to take* down) a tent* : monter (démonter) une tente
to sleep under canvas* : dormir sous la tente

A hotel **: un hôtel**

an inn : une auberge
a youth hostel : une auberge de jeunesse
a bed & breakfast : une chambre d'hôte
a guest : un client
to check in >< to check out : arriver à l'hôtel >< quitter l'hôtel
the reception desk : la réception
the lobby : le hall
the lounge : le salon
the dining-room : la salle à manger
the manager : le gérant
a bellboy (USA) : un groom
a doorman : un portier
a night porter : un gardien de nuit
a single (double) room : une chambre pour une personne (deux personnes)

a single (double) bed : un lit pour une personne (deux personnes)
a room with a bath : une chambre avec salle de bains
a shower : une douche
a chambermaid : une femme de chambre
air-conditioned : climatisé

to book a room : réserver une chambre
to make a reservation* : faire une réservation
to pay the bill* : payer l'addition
to turn on (>< to turn off) the air conditioning : allumer (>< couper) la climatisation
Have you got any vacancies for next week? – Avez-vous des chambres libres pour la semaine prochaine ?
The hotel is full. – L'hôtel est complet.
Is breakfast included? – Le petit déjeuner est-il compris ?
What time do I have to check out? – À quelle heure dois-je quitter l'hôtel ?
The room overlooks the park. – La chambre donne sur le parc.
I'm staying in a hotel. – Je descends à l'hôtel.
I'm staying in a bed & breakfast. – Je réside dans une chambre d'hôte.
I'm staying with friends. – Je séjourne chez des amis.

Nature, the environment, the weather conditions
La nature, l'environnement, les conditions météorologiques

The countryside **: la campagne**

in the country : à la campagne
a valley : une vallée
a plain : une plaine
a meadow [e] : une prairie
a field : un champ
a hedge : une haie
a path : un chemin
a lane : un sentier
a ditch : un fossé
a river : un fleuve
a tributary : un affluent
a stream : un cours d'eau
in spate : en crue
a brook : un ruisseau
a bank : une berge
a lake : un lac
to ripple : onduler
a canal [kə'næl] : un canal
a waterfall : une chute d'eau
a whirlpool : un tourbillon
a spring : une source
a source : une source (de cours d'eau)
a pool : un étang
a pond : une mare
mud : la boue
a lock : une écluse
a dam : un barrage

This river has its source in this area. – Ce fleuve prend sa source dans cette région.
The river overflowed (its banks). – Le fleuve a débordé.

A forest **: une forêt**

a tree : un arbre
wood : le bois
a root : une racine
a trunk : un tronc
sap : la sève
bark : l'écorce
a branch : une branche
a twig : une brindille
a leaf : une feuille
grass : l'herbe
a blade of grass : un brin d'herbe
moss : la mousse
a reed : un roseau
a mushroom : un champignon

to climb a tree : grimper à un arbre
to plant a tree >< to cut down a tree : planter un arbre >< abattre un arbre

an oak : un chêne
a poplar : un peuplier
a chestnut tree : un marronnier
an elm : un orme
a beech : un hêtre
a birch : un bouleau
a pine : un pin
a fir : un sapin
a (weeping) willow : un saule (pleureur)
a maple : un érable
a palm [pa:m] : un palmier
a bush : un buisson
a shrub : un arbuste
a grove : un bosquet
a clearing : une clairière
ivy : le lierre
Virginia creeper : la vigne vierge
heather [e] : la bruyère
nettles : des orties

The wall is overgrown with Virginia creeper. – Le mur est recouvert de vigne vierge.

A flower : une fleur

a petal : un pétale
a bud : un bouton
a rose : une rose
a tulip : une tulipe
lily of the valley : du muguet
a daffodil : une jonquille
a poppy : un coquelicot
a daisy : une marguerite

A mountain : une montagne

a mountain range : une chaîne de montagnes
a hill : une colline
a ridge : une arête, une crête
a ledge : une corniche
a mountain top : un sommet
a summit : une cime
a peak : un pic
a slope : une pente
a glacier : un glacier
a pass : un col
a ravine [rə'vɪ:n] : un ravin
a precipice ['preɪpɪs] : un précipice
a volcano [eɪ] : un volcan
a crater [eɪ] : un cratère
lava [a:] : la lave

Is the volcano still active (>< extinct)? – Le volcan est-il toujours en activité (>< éteint) ?

The sea : la mer

an ocean : un océan
the tide : la marée
a wave : une vague
the surf (indén.) : les brisants, le ressac
a current : un courant
foam : l'écume
spray : les embruns
to surge : s'enfler (vagues)

The tide is in (>< out). – C'est marée haute (>< basse).
The tide is rising (>< is falling). – La marée monte (>< descend).
There's a heavy swell. – Il y a une forte houle.

The coast : la côte

an island : une île
a peninsula : une presqu'île
a gulf : un golfe
a bay : une baie
a strait : un détroit
a cape : un cap
a headland : un promontoire
the shore : le rivage
a beach : une plage
sand : du sable
a pebble : un galet
the shingle (indén.) : les galets

A landscape : un paysage

a moor = *a heath* : une lande
moorland (indén.) : de la lande
a marsh = *a swamp* = *a bog* : un marais
an abyss [ə'bɪs] = *a chasm* ['kæzəm] : un gouffre
a cave (f.a.) : une grotte
a desert : un désert
an oasis : une oasis
the jungle : la jungle
the rainforest : la forêt tropicale
the bush : la brousse

The ground is very boggy here. – Le terrain est très marécageux ici.

The environment : l'environnement

environmental protection : la protection de l'environnement
environmentalists : les écologistes
the Greens : les Verts
an environmentally friendly product : un produit écologique
harmful to the environment : nuisible pour l'environnement
biodegradable : biodégradable
pollution : la pollution
to pollute : polluer
a natural disaster : une catastrophe naturelle
a noxious gas : un gaz nocif
to dump : jeter
to threaten [e] : menacer
to jeopardize [e] : mettre en danger
sustainable development : le développement durable
an oil slick = *an oil spill* : une marée noire
a spray : un aérosol
asbestos : l'amiante

global warming : le réchauffement de la planète
the greenhouse effect : l'effet de serre
acid rain : les pluies acides
exhaust fumes : les gaz d'échappement

to protect the environment : protéger l'environnement
to dispose of toxic waste : se débarrasser de déchets toxiques
to deplete the ozone layer : diminuer la couche d'ozone

The weather (indén.) : le temps

hot (>< cold) weather : un temps chaud (>< froid)
warm : (agréablement) chaud
mild : doux
cool : frais
heat >< cold : la chaleur >< le froid
the barometer = the glass (GB) : le baromètre
a thermometer : un thermomètre
the *weather forecast* : les prévisions météorologiques

What's the weather like? – Quel temps fait-il ?
The weather's fine. – Il fait beau.
☺ *What lousy weather!* – Quel temps dégueulasse !
The weather is clearing up. – Le temps se lève.
It's chilly this morning. – Il fait frisquet ce matin.
It's hot (sultry, stifling). – Il fait chaud (lourd, une chaleur étouffante).
The glass is falling. – Le baromètre baisse.
The barometer is set at fair. – Le baromètre est au beau fixe.

The sun : le soleil

the sky : le ciel
sunny : ensoleillé
*to shine** : briller
sunshine : (lumière du) soleil
a bright interval : une éclaircie
dry : sec
to dry : sécher
drought [aʊ] : la sécheresse

The rain : la pluie

a raindrop : une goutte de pluie
to rain : pleuvoir
to drizzle : bruiner
a shower [aʊ] : une averse
wet : mouillé
damp : humide (et froid)
humid : humide (et chaud)
dew : la rosée
a cloud : un nuage
cloudy : nuageux
an overcast sky : un ciel couvert
a flood [ʌ] : une inondation
a monsoon : une mousson

The sky is clouding over. – Le ciel se couvre.
It looks like rain. – Le temps est à la pluie.
It's pouring with rain. – Il pleut à verse.

The wind : le vent

*to blow** : souffler
to whirl : tourbillonner
a breeze : une brise
a gust of wind : un coup de vent
a gale : un vent fort
a storm : une tempête
a hurricane : un ouragan
a typhoon : un typhon
a tidal wave : un raz-de-marée
a thunderstorm : un orage
thunder : le tonnerre
a thunderclap : un coup de tonnerre
lightning : la foudre
a flash of lightning : un éclair

It's windy. – Il y a du vent.
It's blowing a gale. – Il y a un vent à décorner les bœufs.

The snow : la neige

to snow : neiger
a snowflake : un flocon de neige
snowbound : bloqué par la neige
an avalanche : une avalanche
frost : le gel
frosty : gelé
*to freeze** : geler
the thaw : le dégel
hail : la grêle
to hail : grêler
sleet : le grésil
ice : la glace
black ice : le verglas
an icy patch : une plaque de verglas

The roads are icy. – Il y a du verglas sur les routes.
It must be 3 degrees below freezing. – Il doit faire moins 3.

The fog : le brouillard

mist : la brume
misty : brumeux
a heat haze : une brume de chaleur

It's foggy. – Il y a du brouillard.

The climate ['klaɪmɪt] : le climat

a temperate climate : un climat tempéré
a humid climate : un climat humide et chaud
a tropical climate : un climat tropical
a harsh climate : un climat rude

An earthquake : un tremblement de terre

an earth tremor : une secousse tellurique
a landslide : un glissement de terrain
an eruption : une éruption

The earthquake measured 8 on the Richter scale. – Le séisme a atteint 8 sur l'échelle de Richter.

Animals
Les animaux

An animal = a beast : un animal, une bête

a mammal : un mammifère
an endangered species : une espèce en voie de disparition
a pet : un animal de compagnie
wild : sauvage
tame : apprivoisé

A dog : un chien

a puppy : un chiot
a bitch : une chienne
a poodle : un caniche
a greyhound : un lévrier
to bark : aboyer
*to bite** : mordre

A cat : un chat

a kitten : un chaton
the tail : la queue
a paw : une patte
a claw : une griffe
to mew : miauler
to purr : ronronner
to scratch : griffer

A mouse (plur. _mice_) : une souris

a rat : un rat
a bat : une chauve-souris

to walk the dog : promener le chien
to keep a pet* : avoir un animal de compagnie
to keep a dog on a lead* : tenir un chien en laisse
Beware of the dog! – Attention au chien !

The cattle and the farm's animals : le bétail et les animaux de la ferme

an ox (plur. *oxes*) : un bœuf
a bull : un taureau
a buffalo : un buffle
a ram : un bélier
a cow [aʊ] : une vache
a calf [a] : un veau
a sheep (plur. inv.) : un mouton
a lamb : un agneau

a herd of cows : un troupeau de vaches
a flock of sheep : un troupeau de moutons

to milk a cow : traire une vache

a horse : un cheval
the mane : la crinière
a hoof (plur. *hooves*) : un sabot
to neigh : hennir
a mare : une jument
a colt : un poulain
an ass = a donkey : un âne
a goat : une chèvre
a billy goat : un bouc
a kid : un chevreau
a pig = a hog (USA) : un porc, un cochon
a sow [aʊ] : une truie
a wild boar : un sanglier
a hen : une poule
a chicken : un poulet
a cock = a rooster : un coq
a duck : un canard
a goose : une oie

to lay an egg* : pondre

a rabbit : un lapin
a squirrel : un écureuil
a hare : un lièvre
a fox : un renard
a mole : une taupe

Wild animals : les animaux sauvages

a wolf : un loup
a bear [ɛə] : un ours
a deer : un daim
a reindeer : un renne
a doe : une biche
a stag : un cerf
an elephant : un éléphant
the trunk : la trompe
a rhinoceros = a rhino (fam.) : un rhinocéros
a giraffe : une giraffe
a zebra : un zèbre
a kangaroo : un kangourou
a lion [aɪ] : un lion
to roar : rugir
a tiger : un tigre
a leopard [e] : un léopard
a panther : une panthère
a camel : un chameau
a monkey : un (petit) singe
an ape : un (grand) singe

a fish : un poisson
a goldfish : un poisson rouge
a shark : un requin
a whale : une baleine

a frog : une grenouille
a toad : un crapaud
an octopus : une pieuvre
a seal : un phoque
a tortoise [təs] : une tortue
a turtle : une tortue de mer
a crocodile [aɪ] : un crocodile

a snake : un serpent
an adder = a viper : une vipère
a lizard : un lézard
a snail : un escargot
a worn : un ver

A bird : un oiseau

to chirp : gazouiller
a feather [e] : une plume
a nest : un nid
a blackbird : un merle
an owl [aʊ] : une chouette
a lark : une alouette
a raven : un corbeau
a parrot : un perroquet
a pigeon : un pigeon
a sparrow : un moineau
a dove [ʌ] : une colombe
a swallow : une hirondelle
an ostrich : une autruche
a peacock : un paon
an eagle : un aigle
a vulture : un vautour
a bird of prey : un oiseau de proie
a (sea)gull : une mouette

An insect : un insecte

a fly : une mouche
a mosquito : un moustique
a bee : une abeille
a wasp : une guêpe
a spider : une araignée
a cobweb : une toile d'araignée
an ant : une fourmi
a flea : une puce
a beetle : un scarabée
a louse (plur. *lice*) : un pou
a grasshopper : une sauterelle
a cricket : un grillon
a cicada : une cigale

Leisure and sports
Loisirs et sports

Leisure activities **: des loisirs**

spare time = *free time* : du temps libre
a pastime = *a hobby* : un passe-temps
idle : oisif
entertainment : les distractions
entertaining : distrayant
to relax = *to unwind* : se détendre
relaxing : détendant, délassant
boring : ennuyeux, assommant
boredom : l'ennui

to have a good time* : bien s'amuser
to let off steam* : décompresser
to have (= to take*) a rest* = *to rest* : se reposer
to take a nap* : faire la sieste, faire un petit somme
to have a lie-in* : faire la grasse matinée

Indoor activities **: activités d'intérieur**

a pack of cards : un jeu de cartes
a die (pl. *dice)* : un dé
a crossword puzzle : une grille de mots croisés
stamp collecting : la philatélie
a video game : un jeu vidéo
a hi-fi system : une chaîne hi-fi

to play chess (draughts, cards, bridge, darts) : jouer aux échecs (aux dames, aux cartes, au bridge, aux fléchettes)
to do crosswords* : faire des mots croisés
to shuffle (to cut, to deal*) the cards* : battre (couper, distribuer) les cartes
to have a game of billiards* : faire une partie de billard

Photography **: la photographie**

a photograph = *a photo* = *a picture* : une photo
a snapshot : un instantané
a camera : un appareil-photo
a movie camera : une caméra
a camcorder : un caméscope

A casino : un casino

a gambler : un joueur
to stake : miser
a one-armed bandit = a fruit machine : une machine à sous
a discotheque : une discothèque

to play for high stakes : jouer gros jeu
to break the bank* : faire sauter la banque
to win on the lottery* : gagner à la loterie
to hit the jackpot* : toucher le gros lot
to toss a coin : jouer à pile ou face
to go clubbing* : sortir en boîte
Heads or tails? – Pile ou face ?
He gambles at poker. – Il joue au poker (pour de l'argent).

A funfair : une fête foraine

a circus : un cirque
a shooting range : un stand de tir
a pinball machine : un flipper
a bowling alley : un bowling

to play pinball : jouer au flipper

Sport(s) : le sport

a sportsman, a sportswoman : un sportif, une sportive
training : l'entraînement
a coach : un entraîneur
to work out : s'entraîner
a stopwatch : un chronomètre
a sports field : un terrain de sport
a gymnasium = a gym : un gymnase, une salle de gym
a stadium : un stade
the terraces : les gradins
the grandstand : la tribune d'honneur
the changing rooms : les vestiaires
a sporting event : une épreuve sportive
a tournament : un tournoi
a championship : un championnat
a final : une finale
a referee : un arbitre
an umpire : un arbitre (tennis, cricket)
*to win** : gagner
a winner : un gagnant
*to lose** : perdre
a loser : un perdant

to do sport* : faire du sport
to be athletic* : être sportif
to take exercise* : faire de l'exercice
to go in for competitive sport* : faire de la compétition
to hold (to break*) a record* : détenir (battre) un record
to tie with somebody for first place : être premier ex-aequo avec quelqu'un
He was disqualified for a doping offence. – Il a été disqualifié pour dopage.

athletics : l'athlétisme
running : la course à pied
to jump : sauter
weightlifting : l'haltérophilie

to go jogging* : faire du jogging
to go hiking* : faire de la randonnée

boxing : la boxe
fencing : l'escrime
cycling : le cyclisme
a mountain bike : un VTT

to go roller-skating* : faire du patin à roulettes

motor racing : la course automobile
a racing driver : un pilote de course
mountaineering : l'alpinisme
a climber : un alpiniste
hang-gliding : le deltaplane
bungee jumping : le saut à l'élastique
surfing : le surf
a surfboard : une planche de surf
windsurfing : la planche à voile
football = soccer : le football
a goalkeeper : un gardien de but

to score a goal : marquer un but

rugby : le rugby
a scrum : une mêlée
a tennis court : un court de tennis
a golf course : un terrain de golf
horse racing : les courses de chevaux
a horse race : une course de chevaux
a saddle : une selle

to go horse-riding* : faire de l'équitation
to ride a horse* : monter un cheval
to bet on the horses* : jouer aux courses

downhill skiing : le ski de piste
cross-country skiing : le ski de fond
skis : des skis
sticks : des bâtons
a ski run : une piste de ski
a skilift : un remonte-pente
a cablecar : un téléphérique
a sledge : une luge
ice-skating : le patinage sur glace
an ice rink : une patinoire

to go skiing* : faire du ski

swimming : la natation
a swimming-pool : une piscine
to dive : plonger
a diving board : un plongeoir

to go for a swim* : aller se baigner
to go water-skiing* : faire du ski nautique
to go scuba diving* : faire de la plongée sous-marine

rowing : l'aviron

to go sailing* : faire de la voile

fishing : la pêche
angling : la pêche à la ligne

a fishing rod : une canne à pêche
a fishing net : une épuisette

hunting : la chasse
a hunter : un chasseur

to poach : braconner
a poacher : un braconnier

to go shooting* : aller à la chasse
to be a good (bad) shot* : être un bon (mauvais) tireur

Art and litterature
Arts et littérature

A book : un livre

a writer : un écrivain
an author : un auteur
a pen name : un pseudonyme
*to write** : écrire
a novel : un roman
a novelist : un romancier
a story : une histoire
a short story = a novella : une nouvelle
a (fairy) tale : un conte (de fées)
a detective story = a whodunnit (fam.) : un roman policier, un polar
the plot : l'intrigue
realistic : réaliste
a character : un personnage
the hero : le héros
a poem : un poème
verse (indén.) : des vers
to rhyme with... : rimer avec...
a poet : un poète
a stylistic device : un procédé de style
a biography : une biographie
an autobiography : une autobiographie
a dictionary : un dictionnaire
the title : le titre
the foreword : l'avant-propos
a chapter : un chapitre
a page : une page

to live by one's pen : vivre de sa plume
to receive (= to get) royalties* : toucher des droits d'auteur

To publish : publier

a publisher : un éditeur
a publishing house : une maison d'édition
to print : imprimer
a printer : un imprimeur
out of print : épuisé
a paperback : un livre de poche
a hardback : un livre relié
bound in leather : relié en cuir
a library : une bibliothèque

to self-publish a book : publier un livre à compte d'auteur
to print 5,000 copies of a book : tirer un livre à 5 000 exemplaires

The fine arts : les beaux arts

plastic arts : les arts plastiques
a work of art : une œuvre d'art
a masterpiece : un chef-d'œuvre
an exhibition (f.a.) : une exposition
an art gallery : une galerie d'art
a museum : un musée
a studio (f.a.) : un atelier d'artiste
an artist : un artiste
artistic : artistique
a painter : un peintre
painting : la peinture
an oil painting : une peinture à l'huile
a watercolour : une aquarelle
a print = an engraving : une gravure
a drawing : un dessin
a sketch : un croquis
a fresco : une fresque
a canvas : une toile
a frame : un cadre
a (paint)brush : un pinceau
a portrait : un portrait
a nude : un nu
a still life : une nature morte
a fake : un faux
sculpture : la sculpture
a sculptor : un sculpteur
to sculpt : sculpter
a statue : une statue
carved out of wood : sculpté dans le bois

to be invited to a preview* : être invité à un vernissage

Music : la musique

classical music : la musique classique
jazz : le jazz
pop music : la musique pop
a concert hall : une salle de concert
a music lover : un mélomane
a musician : un musicien
a composer : un compositeur
to compose : composer
a score : une partition
a conductor : un chef d'orchestre
an orchestra : un orchestre (symphonique)
to perform : interpréter
his performance of the sonata : son interprétation de la sonate
to rehearse : répéter
a rehearsal : une répétition
a virtuoso : un virtuose
a soloist : un soliste
a song : une chanson
a melody : une mélodie
a tune : un air
an opera : un opéra
a symphony : une symphnie
a concerto : un concerto
chamber music [ei] : la musique de chambre
a quartet : un quatuor
a sonata : une sonate
a duet : un duo
a band : un orchestre (rock, jazz)
a jam session (fam.) : un bœuf
in the key of A major : dans la tonalité de *la* majeur
D sharp : *ré* dièse
G flat : *sol* bémol
a violin [aɪ] : un violon
a cello : un violoncelle
a double bass : une contrebasse
a flute : une flûte
a horn : un cor
a trumpet : une trompette
a clarinet : une clarinette
an oboe : un hautbois

to have a good ear for music* : avoir l'oreille musicale
to sing in tune (>< out of tune)* : chanter juste (>< faux)
to beat time* : battre la mesure
to be in time* : être en mesure
to practise scales : faire des gammes
to conduct an orchestra : diriger un orchestre
to play the piano (the drums, etc.) : jouer du piano (de la batterie, etc.)
☺ *We jammed with them last night.* [*to jam*] – Nous avons fait un bœuf avec eux hier soir.

A theatre play : une pièce de théâtre

a playwright : un dramaturge
the cast of a play : la distribution d'une pièce
an actor / an actress : un acteur / une actrice
the director (f.a.) : le metteur en scène

to stage a play : monter une pièce
to play a part : jouer un rôle
to go on the stage* : monter sur les planches
to go backstage* : aller dans les coulisses

A film = a movie (USA) : un film

a film buff (fam.) : un cinéphile
a cinema = a movie theater (USA) : un cinéma
the screen : l'écran
in the original language with subtitles : en version originale sous-titrée
dubbed : doublé
a film-maker : un cinéaste
a producer : un producteur
a scriptwriter : un scénariste
the set : le plateau
a blockbuster : un gros succès
a spectacular : un film à grand spectacle

to shoot a film (on location)* : tourner un film (en extérieurs)
to play the lead : jouer le rôle principal
to go to the cinema = to go* to the movies* (USA) : aller au cinéma
He works in films. – Il travaille dans le cinéma.
The scenery is fantastic. – Les décors sont fantastiques.
The film will be released next week. – Le film sortira la semaine prochaine.
The film features Hugh Grant. – Hugh Grant joue dans le film.
⚠ *The film is crap.* – Le film est merdique.

Time
Le temps

A period : une période

the past : le passé
the present : le présent
the future : l'avenir
in antiquity : dans l'Antiquité
in the Middle Ages : au Moyen Âge
in the Renaissance : à la Renaissance
a date : une date
an era : une ère
B.C. (Before Christ) : avant Jésus-Christ
A.D. (Anno Domini) : après Jésus-Christ

a landmark : un repère
a calendar : un calendrier
short-lived : éphémère
temporary : temporaire
old : vieux
recent : récent
modern : moderne
contemporary : contemporain
current : actuel
old-fashioned : démodé
outdated = obsolete : dépassé
updated : actualisé

now : maintenant
immediately = at once = right now = straight away : tout de suite, immédiatement
overnight : du jour au lendemain
up to now = until now = so far : jusqu'à maintenant
soon : bientôt
as soon as possible : dès que possible
sooner or later : tôt ou tard
later (on) : plus tard
currently : actuellement
again : de nouveau, encore
never : jamais
often : souvent
always : toujours
forever : pour toujours
hardly ever : presque jamais

seldom = rarely : rarement
sometimes = from time to time = now and then : parfois, quelquefois, de temps en temps
afterwards : après
then : ensuite, puis, après, alors
regularly : régulièrement
usually : habituellement
as usual : comme d'habitude
at the beginning = at first : au début
meanwhile = in the meantime : en attendant, pendant ce temps-là
in the past = formerly : autrefois
at (the) present : à présent
at the moment : en ce moment
in the future : à l'avenir
from now on : à partir de maintenant, dorénavant

finally = eventually (f.a.) : finalement, en fin de compte
at last! : enfin !
once : une fois
twice : deux fois
every time : à chaque fois
all the time : tout le temps
once a day : une fois par jour
nowadays : de nos jours
yesterday : hier
today : aujourd'hui
tomorrow : demain

to spend time doing something : passer du temps à faire quelque chose
to save (>< to waste) time : gagner (>< perdre) du temps
I've seen him lately. – Je l'ai vu récemment.
It's still a long way off! = ☺ *It's not just round the corner!* – Ce n'est pas pour demain !
It's taking forever! – Cela n'en finit pas.
How time flies! – Comme le temps passe !
☺ *Long time no see!* – Ça fait un bail (qu'on ne s'est pas vus) !

A watch : une montre

a stopwatch : un chronomètre
timing : la synchronisation
a second : une seconde
a minute : une minute
an hour : une heure
a quarter of an hour : un quart d'heure
half an hour [ha:f] : une demi-heure
three quarters of an hour : trois quarts d'heure
an hour and a half : une heure et demie
about six = around six : vers six heures
at two o'clock sharp : à deux heures précises

to be early >< to be* late* : être en avance >< être en retard
to be on time* : être à l'heure
to be just in time* : être juste à temps
What time is it? - Quelle heure est-il ?
It's half past six. – Il est six heures et demie.
It's a quarter to seven. – Il est sept heures moins le quart.
My watch is (five minutes) fast. – Ma montre avance (de cinq minutes).
My watch is (five minutes) slow. – Ma montre retarde (de cinq minutes).
Better late than never. – Mieux vaut tard que jamais.

A day : un jour, une journée

a morning : une matinée
an afternoon : un après-midi
an evening : une soirée
a night : une nuit
a fortnight (GB) : une quinzaine
a term : un trimestre
a year : une année
a leap year : une année bissextile
a decade (f.a.) : une décennie
a millennium : un millénaire
in the twentieth century : au xxe siècle
every day : tous les jours

every other day : tous les deux jours
all day (long) : toute la journée
in the daytime : le jour
this morning : ce matin
at dawn : à l'aube
in the morning : le matin
at noon = at midday : à midi
at lunchtime : à l'heure du déjeuner
in the afternoon : l'après-midi
in the evening : dans la soirée
at dusk = at twilight : au crépuscule
at sunset : au coucher du soleil
at night : la nuit
all night (long) : toute la nuit
as from Monday : à partir de lundi
last night = yesterday evening : hier soir
at weekends : le week-end
last week : la semaine dernière
next week : la semaine prochaine
these days : à l'heure actuelle, de nos jours
in those days : à cette époque-là

A week : une semaine

Monday : lundi
Tuesday : mardi
Wednesday : mercredi
Thursday : jeudi
Friday : vendredi
Saturday : samedi
Sunday : dimanche

In my day : de mon temps, à mon époque
Those were the days. – C'était le bon temps.
It dates back to the nineteenth century. – Cela remonte au XIXe siècle.

A month : un mois

January : janvier
February : février
March : mars
April : avril
May : mai
June : juin
July : juillet
August : août
September : septembre
October : octobre
November : novembre
December : décembre
on May 6th, 2003 : le 6 mai 2003
in January : en janvier

A season : une saison

in (the) spring : au printemps
in (the) summer : en été
in (the) autumn = in the fall (USA) : en automne
in (the) winter : en hiver

Life, the family
La vie, la famille

Birth : la naissance

birth control : la limitation des naissances
genetic engineering : les manipulations génétiques
pregnancy : la grossesse
pregnant : enceinte
a newborn : un nouveau-né
an infant : un nourrisson
a toddler : un bambin
a cradle : un berceau
a pram : un landau
a pushchair : une poussette
a nappy (GB) = _a diaper_ (USA) : une couche
a kid (fam.) : un môme, un gosse
well-mannered >< _bad-mannered_ : bien élevé >< mal élevé

to breastfeed* a baby : allaiter un bébé
to give* a baby its bottle : donner son biberon à un bébé
to bring* up children : élever des enfants
to have* an abortion : se faire avorter
She's expecting a baby. – Elle attend un enfant.
Her baby is due next month. – Elle doit accoucher le mois prochain.
He was born in 1965. – Il est né en 1965.

Age : l'âge

youth : la jeunesse
old age : la vieillesse
young >< _old_ : jeune >< vieux
the young >< _the old_ : les jeunes >< les vieux
a youth = _a youngster_ : un jeune
the younger generation : la jeune génération
a teenager : un adolescent
to grow* up : grandir
an adult = _a grown-up_ : un adulte
mature : mûr
to get* old : vieillir
the elderly : les personnes âgées
senior citizens : les personnes du troisième âge
a centenarian : un centenaire
a pensioner : un retraité
a doddering old man : un vieux gâteux

to come of age* : atteindre la majorité
to go gaga* (fam.) : devenir gâteux
How old is she? – Quel âge a-t-elle ?
He is 25 (years old). – Il a 25 ans.
He's in his late twenties. – Il approche de la trentaine.
He has just turned 40. – Il vient d'avoir 40 ans.
☺ *He is on the shady side of fifty.* – Il a dépassé la cinquantaine.
When you are my age... – Quand tu auras mon âge...
We are the same age. – Nous sommes du même âge.
She doesn't look her age. – Elle ne fait pas son âge.
☺ *He's losing his marbles.* – Il perd la boule.

Death : la mort

to die : mourir
dead : mort
the dead = the departed : les morts, les disparus
a widow : une veuve
a widower : un veuf

to die a natural death : mourir de mort naturelle
to be at death's door* : être à l'article de la mort
to commit suicide = to kill oneself : se suicider

A (large) family : une famille (nombreuse)

a household : une maisonnée
our ancestors = our forefathers : nos ancêtres, nos aïeux
the descendants : les descendants
the parents : les parents (père et mère)
the father : le père
the mother [ʌ] : la mère
Dad(dy) : Papa
Mum(my) : Maman
the husband : le mari
the wife : la femme, l'épouse
an unmarried mother : une mère célibataire
a stepfather : un beau-père (après remariage)
a stepmother : une belle-mère (après remariage)
relatives = relations (f.a.) : les parents, les membres de la famille
the offspring : la progéniture
a child [aɪ] (plur. *children* [ɪ]) : un enfant
childhood : l'enfance
a son [ʌ] : un fils
a daughter : une fille
a brother [ʌ] : un frère
a sister : une sœur
a half-brother : un demi-frère
a half-sister : une demi-sœur
the elder : l'aîné (de deux)
the eldest : l'aîné (de plus de deux)
the younger : le cadet (de deux)
the youngest : le cadet (de plus de deux)
the grandparents : les grands-parents
the great-grandparents : les arrière-grands-parents
a grandmother : une grand-mère
a grandfather : un grand-père
Granddad = Grandpa : Papi
Granny = Grandma : Mamie

a grandson : un petit-fils
a granddaughter : une petite-fille
an uncle : un oncle
an aunt [a:nt] : une tante
a nephew ['nevjʊ:] : un neveu
a niece : une nièce
a cousin [ʌ] : un(e) cousin(e)
a first cousin : un cousin germain
the godfather : le parrain
the godmother : la marraine
a godson : un filleul
a goddaughter : une filleule
a godchild : un(e) filleul(e)
an orphan : un orphelin
a guardian [g] : un tuteur
a ward : un(e) pupille
an adopted child : un enfant adoptif
adoptive parents : des parents adoptifs
a bachelor : un célibataire
a spinster : une vieille fille
my in-laws : ma belle-famille
the father-in-law : le beau-père
the mother-in-law : la belle-mère
a son-in-law : un gendre
a daughter-in-law : une belle-fille
a brother-in-law : un beau-frère
a sister-in-law : une belle-sœur

A family celebration : une fête de famille

a christening = a baptism : un baptême
an engagement : des fiançailles
the fiancé(e) : le (la) fiancé(e)
to get engaged* : se fiancer
a proposal : une demande en mariage
to propose to somebody : demander quelqu'un en mariage
a wedding : un mariage (cérémonie)
a birthday : un anniversaire
a wedding anniversary : un anniversaire de mariage
a nameday : une fête (selon le calendrier des saints)

Happy birthday! = Many happy returns (of the day)! – Joyeux anniversaire !
His birthday is on June 15th. – Son anniversaire est le 15 juin.

marriage : le mariage
to get married* : se marier
to marry somebody : épouser quelqu'un
the bride : la mariée
the bridegroom : le marié
a bridesmaid : une demoiselle d'honneur
the best man : le garçon d'honneur
a witness : un témoin
a (wedding) ring : une alliance
the newly weds : les jeunes mariés
a married couple : un couple marié
a live-in partner : un concubin
to cohabit : vivre en concubinage
adultery : l'adultère
a divorce : un divorce
to get divorced* : divorcer
to divorce somebody : divorcer d'avec quelqu'un

to be single* : être célibataire
to have a church wedding* : se marier à l'église
to get (to pay*) alimony* : toucher (verser) une pension alimentaire
to have an affair with...* : avoir une aventure, une liaison, avec...
to be given custody of the children* : avoir la garde des enfants

The mind
L'esprit

To think* (of / about...) : penser (à...)

a thought : une pensée
an idea : une idée
a theory : une théorie
to reason : raisonner
reasoning : le raisonnement
*to understand** : comprendre
to realize something : se rendre compte de quelque chose
to grasp : saisir
to remember : se souvenir de
*to forget** : oublier
to make oneself understood* : se faire comprendre
understanding : la compréhension
a misunderstanding : un malentendu
understandable : compréhensible
intelligent : intelligent
intelligence : l'intelligence
a genius [ɪdʒɪː] : un génie
concentration : la concentration
clever : intelligent, malin, astucieux
cunning : malin, rusé
bright : brillant
shrewd : perspicace, habile
a sharp mind : un esprit pénétrant
accurate information : des informations exactes
the accuracy of... : l'exactitude de...
logic : la logique
logical : logique
a man of great insight : un homme d'une grande perspicacité
a thorough knowledge of... : une connaissance approfondie de...
expertise (f.a.) : la compétence
quick-witted >< *slow-witted* : à l'esprit vif >< à l'esprit lent
(an) intellectual = *(a) highbrow* (fam.) : (un) intellectuel, (un) intello
versatile (f.a.) : polyvalent
wisdom : la sagesse
wise : sage, avisé
absent-minded : distrait, étourdi
common sense : le bon sens

to be gifted for...* = *to have* a gift for...* : être doué pour..., avoir un don pour...
to have a talent for...* : avoir un talent pour...
to pay attention to...* : faire attention à...
to focus one's attention on... = *to focus on...* : concentrer son attention sur..., se concentrer sur...
to be aware of...* = *to be* conscious of...* : être conscient de..., avoir conscience de...
to be interested in...* : s'intéresser à...

to have an inquiring mind* : avoir un esprit curieux
to be intent on one's work* = *to be* engrossed in one's work* : être absorbé par son travail
to know something inside out* : connaître quelque chose à fond
to be knowledgeable about something* : s'y connaître en quelque chose
to take something into account* : prendre quelque chose en considération
Think it over. – Réfléchissez-y.
He's good (>< hopeless) at maths. – Il est bon (>< nul) en maths.
Use your wits! – Fais marcher tes méninges !
It doesn't make sense. – C'est absurde.
I haven't the faintest idea. – Je n'en ai pas la moindre idée.
You have a point there! – Là, tu as raison !
☺ *He's got brains.* – Il en a dans le cerveau.
☺ *He's slow on the uptake.* (fam.) – Il a la comprenette difficile.

An opinion : une opinion

to judge : juger
to assess = *to evaluate* : évaluer
an assessment = *an evaluation* : une évaluation
to advise : conseiller
to analyze : analyser
an analysis [ə'næləsɪs] : une analyse
to notice [ɪ] : remarquer
to distinguish : distinguer
to examine [ɪ] : examiner
to investigate something : examiner quelque chose
to check : vérifier
*to mean** : vouloir dire, signifier
to guess : deviner
a hypothesis : une hypothèse
a surmise [aɪz] : une hypothèse, une conjecture
to seem : sembler, paraître
a clue : un indice
consistent : cohérent
puzzling : déconcertant, déroutant
paradoxical : paradoxal
obvious = *evident* : évident
obviously : manifestement, de toute évidence
relevant >< *irrelevant* : pertinent >< sans rapport
to consider... as... = *to regard... as...* : considérer... comme...
to decide to do something* : décider de faire quelque chose
to prove : prouver ; se révéler, s'avérer
to persuade = *to convince* : persuader, convaincre
to doubt something [daʊt] : douter de quelque chose
a fool : un imbécile

to pass judgment on... : porter un jugement sur...
to be prejudiced against...* = *to be* biased* ['baɪəst] *against...* : avoir des préjugés contre...
to be right* >< *to be* wrong* : avoir raison >< avoir tort
to make a mistake* : commettre une erreur
to change one's mind : changer d'avis

Feelings and behaviour
Sentiments et comportement

A feeling : un sentiment

*to feel** : sentir, ressentir
to experience : éprouver
sensitive : sensible
sensible (f.a.) : raisonnable, sensé
sensitivity = sensibility : la sensibilité
susceptible to... (f.a.) : sensible à...
a mood : une humeur
moody = temperamental : lunatique, d'humeur changeante
touchy : susceptible
sentimental : sentimental
sentimentality : la sentimentalité
an emotion : une émotion
emotional : émotif
to move : émouvoir
to touch : toucher
moving : émouvant
a disposition = a temper : un caractère

> *to be* in a good (bad) mood* : être de bonne (mauvaise) humeur
> *to have* a rotten (good) disposition* : avoir un sale (bon) caractère
> *to have* an even temper* : être d'humeur égale
> *to be* hot-tempered* : être soupe au lait
> *She was moved to tears.* – Elle fut émue aux larmes.

Happiness : le bonheur

happy : heureux
joyful : joyeux
joy : la joie
merry = cheerful : gai, enjoué
lively : plein d'entrain
mirth : la gaieté
pleased = glad : content
pleasure [e] : le plaisir
satisfied : satisfait
satisfaction : la satisfaction
enthusiastic : enthousiaste
enthusiasm : l'enthousiasme
eager [iː] : empressé, enthousiaste
thrilled : transporté, aux anges
excited : excité
exhilarated : grisé
carefree : insouciant
delighted : ravi
delight : le ravissement
hopeful : plein d'espoir
hope : l'espoir
optimistic >< pessimistic : optimiste >< pessimiste

optimism >< *pessimism* : l'optimisme >< le pessimisme
relief : le soulagement
to relieve : soulager
calm [ka:m] = *cool* : calme
to control oneself : se maîtriser

to feel happy* : se sentir heureux
to be eager to do something* : avoir hâte de faire quelque chose
to be quite willing to do something* : être tout à fait disposé à faire quelque chose
He was walking on air. – Il nageait dans le bonheur.
☺ *He's got it together.* – Il est bien dans sa peau.
I don't care. – Je m'en moque.
⚠ *I don't give a damn.* – Je m'en fous.

Sad : triste

sadness : la tristesse
unhappy = *miserable* = *wretched* [-ɪd] : malheureux
sorrowful : affligé
sorrow = *grief* : le chagrin, la peine
dissatisfied : insatisfait
disheartened = *discouraged* : découragé, abattu
melancholy : 1) (adj.) mélancolique, 2) (n.) la mélancolie
dejected : abattu
depressed : déprimé
gloomy : sombre, morose
weary : las
weariness : la lassitude
reluctant : réticent, hésitant
vexed (f.a.) : contrarié
to disturb : déranger
to perturb : perturber
to bother : importuner, gêner, déranger
to bore : ennuyer, lasser
desperate : désespéré
despair : le désespoir

to have the blues* = *to be* blue* = *to feel* low* : avoir le cafard
to have a nervous breakdown* : avoir une dépression nerveuse
to be reluctant to do something* : rechigner à faire quelque chose
Cheer up! – Haut les cœurs !
Don't be so upset! – Ne vous désolez pas ainsi !
I was bored stiff. – Je me suis ennuyé à mourir.

worried [ʌ] : soucieux, inquiet
worry : le souci, l'inquiétude
worrying : inquiétant
anxious : anxieux
anxiety [-zaɪə-] : l'anxiété
anguished : angoissé
anguish : l'angoisse
finicky = *fussy* : maniaque, tatillon
a stressful situation : une situation stressante
nervous : nerveux
upset : 1) troublé, inquiet ; 2) bouleversé
nervousness : la nervosité
fear : la peur
to fear : craindre
to dread [e] : redouter

to frighten = to scare : effrayer, faire peur à
frightening : effrayant
scary : angoissant
awful = fearful = terrible : terrible
horrible = horrific : horrible
horror : horreur

to be afraid of something = to be* frightened of something* : avoir peur de quelque chose
to be tense = to be* on edge* : être tendu = être à cran
to be under stress* : être stressé
to feel uneasy* : se sentir mal à l'aise, gêné
to be apprehensive (= concerned* [f.a.]*) about something* : être inquiet au sujet de quelque chose
☺ *to have* butterflies in one's stomach* : avoir le trac
to get into a panic* : paniquer
Keep cool. – Gardez votre calme.

Angry (with somebody) : en colère (contre quelqu'un)

anger : la colère
fury : la fureur
furious : furieux
irritated : irrité, agacé
exasperated : exaspéré
bitter : amer
bitterness : l'amertume
revenge : la vengeance
agressive : agressif
spiteful : malveillant
malice (f.a.) : la méchanceté, la malveillance
resentment : le ressentiment

to be in (to fly* into) a rage* : être (se mettre) en rage
to have a grudge against somebody* : en vouloir à quelqu'un
to get one's own back* : prendre sa revanche
to get back at somebody* : se venger de quelqu'un
I've had enough. – J'en ai assez.
☺ *I'm fed up.* – J'en ai marre.
I can't stand that! – Je ne peux pas supporter ça !
It's a nuisance. – C'est embêtant.
That man gets on my nerves. – Ce bonhomme me tape sur les nerfs.
He has it in for me. – Il m'en veut.
His feelings were hurt. – Il a été vexé.

Ashamed : confus

shameful : honteux
shameless : éhonté
proud : fier
pride : fierté
indifferent : indifférent

to feel ashamed* : avoir honte

Friendship **: l'amitié**

a (close) friend : un ami (intime)
a pal (fam.) = *a mate* (fam.) = *a buddy* (USA) : un copain
friendly : amical, sympathique
a nice chap = *a likable guy* (fam.) : un type sympa
sympathetic (f.a.) : compatissant, compréhensif
affection = *fondness* : l'affection

to make friends with somebody* : se lier d'amitié avec quelqu'un
I get on well with her. – Je m'entends bien avec elle.

Love **: l'amour**

passion : la passion
passionate : passionné
a crime of passion : un crime passionnel
tender : tendre
tenderness : la tendresse
to like somebody : bien aimer quelqu'un
to love somebody : aimer quelqu'un
to cherish : chérir
to adore : adorer
to seduce : séduire
seduction : la séduction
seductive : séduisant
to appeal to... : plaire à...
to desire : désirer
a sex maniac : un obsédé (sexuel)
jealous [e] : jaloux
jealousy : la jalousie
envious : envieux
envy : l'envie

to feel attracted to somebody* : se sentir attiré par quelqu'un
to be in love with somebody* : être amoureux de quelqu'un
to fall in love with somebody* : tomber amoureux de quelqu'un
to cheat on one's wife : tromper sa femme
It was love at first sight. – Ce fut le coup de foudre.
He's keen on her. – Il est toqué d'elle.
He's crazy about her. – Il est fou d'elle.
☺ *He made a pass at the girl.* – Il a dragué la fille.

Introducing a newspaper article
Présentation d'un article de journal

A summary : un résumé

to sum up : résumer
an account : un compte rendu
a journalist : un journaliste
a columnist : un chroniqueur
an author : un auteur
a narrator : un narrateur
an editorial : un éditorial
a report : un reportage
a title : un titre
a headline : une manchette
a graph : un graphique
a chart : un tableau
a paragraph : un paragraphe
an excerpt from... = an extract from... : un extrait de...
the subject matter = the topic : le sujet
an analysis : une analyse
an assessment : une évaluation
an anecdote : une anecdote
anecdotal : anecdotique
a quotation (from...) : une citation (tirée de...)
to quote : citer
throughout the text : d'un bout à l'autre du texte
a topical issue : un sujet d'actualité
a social issue : un problème de société
to focus on... : porter son attention sur...
to describe : décrire
to explain something to somebody : expliquer quelque chose à quelqu'un
a feature = a characteristic : une caractéristique
a link : un lien
to illustrate : illustrer
to refer to... = to allude to... = to hint at... : faire allusion à...
first = first of all : d'abord, tout d'abord
in the first place : en premier lieu
secondly : deuxièmement
thirdly : troisièmement
finally = lastly : finalement, enfin
to conclude = in conclusion : pour conclure, en conclusion
in short : en bref

to state a fact : énoncer un fait, faire une constatation
to expound a theory : exposer une théorie
to give an account of...* : faire un compte rendu de...
to pass on to another subject : passer à un autre sujet

to provide an example : fournir un exemple
It has been found that... – On a constaté que...
This article is taken from... – Cet article est tiré de...
This article is about... = *This article deals with...* = *This article is concerned with...* – Cet article traite de... = Cet article parle de...
The journalist notes (= points out) that... – Le journaliste constate (= signale) que...
How can this fact be accounted for? – Comment ce fait peut-il être expliqué ?
This is linked to... = *This is connected with...* – C'est lié à...

A viewpoint : un point de vue

a criticism : une critique
to criticize = *to be critical of...* : critiquer
to overlook : négliger, omettre
a relevant remark : une remarque pertinente
irrelevant = *beside the point* : hors sujet
a discrepancy between... and... : une divergence entre... et...
paradoxical : paradoxal
questionable : discutable
controversial : controversé
a far-fetched idea : une idée tirée par les cheveux
in my opinion = *to my mind* : à mon avis
to me : pour moi
according to the journalist : d'après le journaliste
at first sight = *on the face of it* : à première vue
to claim that... : prétendre que...
to justify : justifier
to advocate : préconiser
to praise : faire l'éloge de
to a certain extent = *in a way* : dans une certaine mesure
by contrast : en revanche
by comparison : en comparaison
similarly = *likewise* : de même
on the contrary : au contraire
unlike Britain... : contrairement à la Grande-Bretagne...
on the one hand..., on the other hand... : d'une part..., d'autre part...
compared with... : par rapport à...
as for... = *as to...* : quant à...
an advantage : un avantage
a disadvantage = *a drawback* = *a downside* : un inconvénient
an asset : un atout
an approach to a problem : une approche d'un problème

to comment on a text : commenter un texte
to emphasize a fact = *to stress a fact* = *to lay* emphasis on a fact* = *to underline a fact* = *to highlight a fact* : souligner, insister sur, mettre l'accent sur, un fait
to place importance on... : accorder de l'importance à...
to take something into account* : prendre quelque chose en compte
to put forward an argument* : avancer un argument

to discuss a problem : discuter d'un problème
to enlarge on a point : développer un point
to weigh up the pros and cons : peser le pour et le contre
to raise an objection : soulever une objection
to be prejudiced against... = to be biased against... ['baɪast]
[(bai(st] : être de parti pris contre...
I agree. >< *I disagree.* : Je suis d'accord. >< Je ne suis pas d'accord.
We may say that... – Nous pouvons dire que...
What does the journalist mean? – Que veut dire le journaliste ?
There's a distinction to be made between... and... – Il faut établir une distinction entre... et...
That's the opposite. – C'est le contraire.
There's more to it than that. – Il y a autre chose. / Ce n'est pas tout.
This statement should be qualified. – Cette assertion devrait être nuancée.
As far as this aspect is concerned... – En ce qui concerne cet aspect...
There is a good side to... >< *There is a downside to...* – Il y a un avantage à... >< Il y a un inconvénient à...
He has a point there. – Il n'a pas tort.
Opinion is divided. – Les avis sont partagés.

Table

Librio

643

Composition PCA - Rezé
Achevé d'imprimer en France (Ligugé)
par Aubin imprimeur en juin 2006 pour le compte de E.J.L.
87, quai Panhard-et-Levassor, 75013 Paris
Dépôt légal juin 2006
1er dépôt légal dans la collection : juin 2004

Diffusion France et étranger : Flammarion